Martha Hennings - 1970

DAS PASSIONS SPIEL

OBERAMMERGAU

*Offizieller Bildband,
herausgegeben anläßlich der
Passionsspiele 1970
von der Gemeinde Oberammergau*

*Official illustrated catalogue
published by the community of
Oberammergau on the occasion
of the Passion Plays 1970*

*Catalogue officiel illustré, publié
à l'occasion des représentations de la
Passion 1970 par la commune
d'Oberammergau*

Aufnahmen Atelier Thiemig: Heimann / von Voithenberg
Gesamtherstellung:
Karl Thiemig, Graphische Kunstanstalt und Buchdruckerei KG, München
Vorwort: Dr. Karl Ipser, Rom / Salzburg
Erläuterung der »Lebenden Bilder«: P. Gregor O.S.B. Ettal
Englische Übersetzung: Concordia Bickel, München
Französische Übersetzung: Henri Perrin, Bremen

Printed in Germany.

DAS PASSIONS SPIEL

Bilddrama
vom Leben Gottes
unter
den Menschen

Nöte wie nie zuvor im Jahre 1970. Die Abwendung von Gott und die Flucht des modernen Menschen vor dem Jenseits haben im Diesseits zu Ratlosigkeit, Resignation und Kampf aller gegen alle, die wilde Jagd nach dem äußeren Glück zur heimlichen Glücklosigkeit einer unmenschlich werdenden Gesellschaft geführt: Von der Divinität über die Humanität zur Brutalität (Thielicke), Krise der Ersatzreligionen nach einem halben Jahrhundert lärmenden Atheismus. Der Mensch, der wie Gott sein und sich selber erlösen wollte, ist gescheitert.
Kommen deshalb Zahllose nach Oberammergau?
Schrecken, früheren Generationen unbekannt, lähmen Verantwortliche, Regierungen, Kirchen. Konflikte schwelen, der weltweite »kalte Krieg« kann jederzeit in einem blutig-heißen umschlagen. So verzichten wir, Unschuldigen und Bedrängten gegen Gewalt und Lüge beizustehen. Die Scharfmacher drängen an die Macht: Ideologen, Berufsrevoluzzer, aggressive Weltverbesserer, herz- und hirnlose Roboter. Brandmal unserer Epoche: Menschen auf der Flucht — Vertriebene, Verfolgte, Verschleppte. Flucht vor dem Feind, vor dem »Sieger«, vor dem Tyrannen, vor dem Klassenkämpfer. Und — Flucht vor sich selber. Ruhelos jagen sie über Straßen, Schienen, Meere, Wolken. Die Gier nach lärmenden Eindrücken, heftigen Emotionen, nach Rausch, Betäubung und Überrumpelung soll die eigene fressende Leere stopfen und die innere Stimme überschreien. In diesem diabolischen Durcheinander richten die Oberammergauer das Kreuz auf. Kommen die Menschen deshalb in das Bergdorf? Zum Gelübde gegen die Pest? Die »Pest«: Gott soll mit dem Verstand, an Wissenschaft, Technik, Soziologie

gemessen und — weil unbeweisbar — aus unserem Bewußtsein als ein Wahn und lähmendes Gift ausgeschieden und durch »wissenschaftliche« Doktrinen ersetzt werden. Denn die Geschichte läuft nach Naturgesetzen ab, die Zukunft wird nach Plan gemacht, Gott ist dazu weder notwendig noch nützlich. »Tote Seelen« degradieren den Menschen zum Werkzeug, zum Genossen, der in einem berechenbaren Alltag nicht mehr das Evangelium, sondern Programme und Manifeste braucht: Aufsässige Unweisheit des unbewältigten 19. Jahrhunderts verunstaltet das Antlitz unserer Zeit.

Die Passion handelt auch von der Zukunft des Menschen: Wie Gott in die Geschichte gekommen ist — in Jesus Christus; wie unserem Leben damit die Perspektive der Ewigkeit und ein neuer Sinn durch die Liebe Gottes gewonnen wird. Der Weg Gottes unter den Menschen, Lehre und Leben ein und dasselbe. Christus ist unvermeidlich, ihm sind Welt, Mensch, Kosmos anheimgegeben. Er ist da, unabänderlich. Keiner kommt an ihm vorbei. Das macht den Sinn der Geschichte bis an das Ende der Zeiten aus! Seine Lebensgemeinschaft mit den Menschen schildert das Neue Testament: Die Wahrheit, nur dieses eine Mal Fleisch und Blut geworden, hat gelebt wie sie leben muß, hat hier gehandelt und den Tod erlitten, den sie hier zu erwarten hat. Die Wahrheit ist nur dem zugänglich, der an die Offenbarung glaubt. Allein von dieser her vermögen wir zu unterscheiden zwischen dem wahren und dem falschen Geist, zwischen dem Geist, der tötet, und dem Geist, der lebendig macht.

Passion: Niederlage des Gegen-Reiches der Gottesfeinde. Vergeblich, dieses herausfordernde Ärgernis und Feuer auf Erden zu löschen. Immer wieder wird es seit damals bis heute versucht, werden Christen und Christliches verspottet, verfolgt, liquidiert. Aber keine Macht ist imstande, die Auferstehung über den gestürzten Widersacher hinweg zu verhindern. Wird die Passion in Oberammergau heute deshalb verleumdet?

Gegen den Haß, für Frieden und Versöhnung richten die Dörfler das Kreuz auf: Nur im Kreuz ist Heil! Nur die Kraft des Kreuzes kann die Menschen von den Dämonen unserer Zeit befreien. Christus bietet die große Hoffnung, nicht der Fortschrittsglaube, der die Ziellosigkeit der Gesellschaft entlarvt bis zum Schock der möglichen Selbstvernichtung. Die ist machbar; deshalb schildern die heutigen Zukunftsromane nicht das versprochene geplante Paradies, sondern die Hölle auf Erden, die der gottlose Mensch dem Menschen bereitet: Orwell — »1984«; Huxley — »Brave new world«; Werfel — »Stern der Ungeborenen«; bis zum »Verdammt in alle Ewigkeit«. Kommen deshalb die Menschen nach Oberammergau? Von der Zukunft zu sehen-hören, wie sie Gott für die Menschen entworfen hat?

GLAUBENSVERKÜNDIGUNG IM BILDDRAMA

Die Lebenden Bilder führen den Zusammenhang von Altem und Neuem Testament vor Augen, füllen den geistigen Raum zwischen Wort und Handlung —

Bildworte wie die Gleichnisse der Propheten und Jesu – und deuten sein Kommen durch die Geschlechter des Alten Bundes.
Das Gelübdespiel von Oberammergau ist Dienst an der Offenbarung und bringt die Menschen näher zu Christus, das Höchste, was Menschen tun können. Der Vollzug des Christentums in der Zeit ist ohne Bild undenkbar. Das Bekenntnis zum Bild als Zeugnis für die Menschwerdung des Herrn ist das Bekenntnis zur Offenbarung, jene Zeichen ins Schau- und Vernehmbare zu bringen, die Christus selber anführt, von der Krippe bis zum Kreuz, von der Taufe bis zur Himmelfahrt. Wo das Wort nicht mehr genügt, helfen Zeichen und Bilder, weil das Religiöse »ohne diese leibhafte Darstellung nur zu leicht entweder in der bloßen Tiefe des Gewissens erstickt oder wie unwirklich sich in der Abstraktion des Geistes verflüchtigt« (Karl Rahner). Gott hilft, indem er den Erlöser für unsere Augen sichtbar werden ließ.
Der heutige Bildersturm findet in einer Zeit der Wortinflation statt und zielt auf die Zerstörung des symbolischen, d. h. des bildhaft-religiösen Denkens, wie es der Botschaft Christi adäquat ist, eine Reduktion des Lebens um eine entscheidende Dimension. Wo Bilder und Bildsprache verzerrt, verhöhnt, entwertet werden, wandelt sich das religiöse symbolhafte Fühlen in ein psychologisches und abstraktes Denken. Wenn der Mensch nicht mehr schauend in der lebendigen Ebenbildlichkeit des Christentums steht, die zweite Person des Dreieinigen Gottes sich nicht mehr vorzustellen vermag, stirbt sein religiöses Bewußtsein ab und er sinkt in das Abstrakte, Bildlose zurück. Das bedeutet die Leugnung der Ebenbildlichkeit des Menschen mit Gott und damit einen Angriff auf das geistige Gefüge unserer Welt. Denn das Bild Gottes – Christus – ist keine Legende oder Vermutung, sondern historische Tatsache: »Und das Wort ist Fleisch geworden.« »Wir sahen seine Herrlichkeit.« »Jetzt sehen wir durch einen Spiegel in einem dunklen Wort, dann aber von Angesicht zu Angesicht.« Der Logos ist anschaubar geworden zur Rettung der Menschheit. »Kommet und sehet!«
Die Menschwerdung Christi ist die Wiederaufnahme und Fortsetzung des Schöpfungsgeschehens (Röm. 8, 22). Christus – Haupt der Menschheit, Herr der Geschichte, Herr des Kosmos – wird beide, Mensch und Kosmos, zum Vater bringen. Die Bildwerke der großen Künstler, Grünewalds, Michelangelos, El Grecos, verkörpern den Aufstieg der Materie zum Leben und dessen Erlösung im Christlichen. »In einer gewissen Hinsicht, so könnte man sagen, entspricht die Zweiheit von Gott und Zeichen im Visionären . . . mehr dem Grundcharakter des Christentums als eine unio mystica bildloser Art, bei der das alte Problem immer wieder aufbricht, ob solche Frömmigkeit der reinen Geistestranszendenz eigentlich christlich ist« (Karl Rahner).
In der Passion begegnen wir nicht nur Gott in der Geschichte, sondern auch sämtlichen Verhaltensweisen und Problemen der Menschen: Liebe, Güte, Opfermut bis zur Heiligkeit, aber auch alle Phasen des Verrates bis zur teuflischen Ver-

dichtung in Judas und seiner Scheinwelt des Hassens, Neidens, des Geizes und der Verleumdung.
Das Bilddrama von Oberammergau, Schicksal, Auftrag und gemeinsames Bekenntnis nicht nur einer Gemeinde, einer Landschaft, aller — die guten Willens sind. Im größten entscheidenden letzten Drama werden uns als Mitschuldigen, Mitleidenden, Mithandelnden alle Rollen des Menschseins vorgeführt: die Trägheit der Reichen und Herrschenden, die Heuchelei der Schriftgelehrten, die Ihn aus dem Wege räumen wollen, weil er ihre Geschäfte und Macht gefährdet, den Wankelmut der Masse, die — von gewissenlosen Hetzern manipuliert — vom »Hosanna« zum »Kreuzige« taumelt, der Opportunismus des Pilatus, der mit einer Geste sein Gewissen beschwichtigt, die von Geiz, Gier und Lüge entstellte Kreatur Judas, Meineid und Feigheit des Petrus und der Jünger zwischen Wahrheit und Welt, zwischen Selbsterhaltung und Gewissen; die Häscher mit Strick, Knüppeln und Waffen, um den Geist zu töten, Terror und Drohung, um die Getreuen einzuschüchtern und zu verwirren; die bestochenen Zeugen — auch der unschuldige Naboth wird durch falsche Zeugen zum Tode verurteilt —, die feige Verschlagenheit der Drahtzieher: keiner will die Verantwortung für das geplante Verbrechen übernehmen, einer schiebt den anderen vor; das Schicksal des fallengelassenen Verräters: »Er hat seinen Freund verraten, wir verfolgen unseren Feind!« Und während die Lauen gleichgültig nachgeben, peitschen die Volksverderber durch Lügen die niedrigsten Instinkte der Menge auf, bis diese schreiend das Blut des Unschuldigen und die Freiheit für den Mörder fordert und durchsetzt. Noch im Tod fürchten die Hasser ihr Opfer und verlangen die Schändung des Leichnams.
Wir sind es, die da schreiten, sprechen, handeln. Wir haben die Stationen des Kreuzweges gesehen und erlebt, wir kennen die Mächte, die den Gerechten kreuzigen. Hat uns dieses Leiden und Wissen geläutert und geöffnet für die Wahrheit? Hat nicht jeder von uns schon einmal die Wahrheit um 30 Silberlinge preisgegeben? Wie die Söhne Jakobs, die ihren Bruder verkauften? Wer von uns kann behaupten, daß er noch niemals seine innere Stimme zum Schweigen gebracht, sein besseres Ich verleugnet hat, daß er nie vor den herrschenden Götzen feige geworden ist?
Aber die Passion kündet auch vom Mit-Leiden eines Simon von Cyrene, der Veronika, von der Gerechtigkeit des Nikodemus, vom Dulden und Leiden der Mutter, von der unwandelbaren Treue der Frauen, die niemals den Herrn verleugneten, von der Einkehr des Hauptmanns, vom Glauben des reuigen Schächers und von den Aposteln, von ihrer Tüchtigkeit für ein weltliches Gemeinwesen und Ahnungslosigkeit nach drei Jahren Umgang mit dem Herrn über die Errichtung des Reich Gottes. So schlafen sie, anstatt mit Ihm zu wachen. Dennoch wachsen sie aus ihrem Sein im Irdischen in das Sein der lebendigen Wahrheit und entfachen die größte Revolution: die Verwandlung des Menschen. Bis sich die große

Hoffnung erfüllen wird zu einem Neuen Sein mit Gott – in der Auferstehung. Das Kreuz überwindet die menschliche Maßlosigkeit im Begehr nach Macht, Lust und Wissen, die Auferstehung ist das Zeichen von Christi ewiger Anwesenheit. Nur Christus kann Schuld vergeben und die Freiheit bringen: Die Befreiung von den Gewalten und Mächten, die das Innere des Menschen knechten und damit auch seine äußere Unabhängigkeit bedrohen. Dazu ist der Mensch allein nicht imstande, der nur human ist in seiner Bindung zu Gott.

Oberammergau steht und fällt mit seinem Gelübde, das seine und unsere Wahrheit verkündet: Gott ist Mensch geworden, um uns zu erlösen. Diese Wahrheit macht Oberammergau mit dem Passionsspiel vielen zugänglich. Geht das Dorf darüber hinweg oder läßt davon ab, gäbe es dieses Zeugnis unter Drohung oder aus Resignation auf oder würde es Passion und Religion »entmythologisieren«, käme dies einem Abfall vom Glauben und Verrat an einer »Mission für die Menschheit« (Kardinal Faulhaber) gleich.

Die Wahrheit ist nicht unser Geschöpf, sie gehört Gott. Wir haben kein Recht auf sie, aber sie verpflichtet uns. Christus hat verfügt, daß kein Jota seiner Lehre geändert wird; der hl. Paulus erläutert: Selbst ein Engel, der etwas anderes lehre, sei zu verfluchen.

Dr. Karl Ipser Rom–Salzburg

Verwendete Literatur:

Karl Rahner SJ, Die Dynamische Kirche, Herder, Freiburg 1958
Visionen und Prophezeiungen, Freiburg 1957
Schriften zur Theologie, III, Einsiedeln 1958

Walter Nigg, Maler des Ewigen, Zürich 1952

Fulton J. Sheen, Aufstieg zu Gott, Luzern 1956 u. a. m.

Veröffentlichungen des Verfassers:
Die Kunstwerke des Vatikans, 4. Aufl. 1965
Michelangelo, der Künstler-Prophet der Kirche, Augsburg 1964
Rom – Kunstwerke, Heiligtümer, Gedenkstätten der Ewigen Stadt, Augsburg 1965
El Greco, der Maler des christlichen Weltbildes, Berlin 1960
Franziskus – Welterneuerung aus dem Vatikan, Mainz 1967
Mao oder Boverello, Ultimatum an Kirche und Gesellschaft, München 1968

THE PASSION

a dramatic play
illustrating the Life of God
Among Men

In 1970: Spiritual need as there never was before. The turning away from God and modern man's flight before the world to come have in this world led to perplexity, helplessness and resignation, to a fight of all against all, and the wild chase for outward happiness has brought about a secret lack of inner happiness in a society quickly becoming inhuman. This has led from divinity and humanity to brutality (Thielicke) and provoked a crisis of surrogate religions after more than fifty years of a vociferous atheism. Man wanting to be like God and to redeem himself by his own strength has failed deplorably. Is this the reason why scores of people flock to Oberammergau?
Fear and terror of a nature unknown to former generations frighten and paralyze those that are responsible, government and Churches. Conflicts are brewing, the world-wide cold war may at any moment turn into hot and bloody battle. Thus, we shrink from helping the innocent and people in need against violence and falsehood. The agitators are reaching for power: ideologists, the professional little revolutionists, aggressive world improvers, heartless and brainless robots. Stigma of our time: people on the flight—expelled, persecuted, displaced. Flight from the ennemy, the "victor", the tyrant, and before class-warfare. And—flight from one's own self. Restless, people chase and race each other over roads, rails, oceans and clouds. The craze for noise, violent emotions, strong drinks, narcotics and surprisal shall fill the gaping void and silence the inner warning. In the midst of this diabolical confusion the people of Oberammergau erect the Cross.
Is this the reason why people flock to that mountain village? As a votive offering against the pest? The "Pest": God is to be measured by ratiocination, science, technology and sociology and—since God is impossible to prove—ousted out of our conscience as a delusion and a paralyzing poison, and to be replaced by »scientific" doctrines. History is following the pattern of natural laws, the future is pre-set according to plan, and to both, God is neither necessary nor useful. "Dead souls" debase man to a mere tool, to a comrade who in a computable everyday life has no need for the gospel but for manifests and programs: The hostile lack of wisdom of the 19th century that we have not yet fully overcome misfigures the countenance of our time.
The Passion also deals with the future of man: How God entered history—through Jesus Christ; how our life wins the perspective of eternity and a new sense through the love of God. God's life among men, what God taught and what he

lived are one and the same. Christ cannot be avoided; the world, man and the universe, are in his hands. He is there, irrevocably. Nobody can pass him by. This is the meaning of history till the end of time. His association with the life of man is described in the New Testament. Truth, this once turned into flesh and blood, has lived as He must live, has acted as He must act, and suffered the death He must expect among men. Truth is accessible only to those who believe in the Revelation. Through this belief alone we are able to discern between the true and the false spirit, between the spirit that kills and the spirit that gives life.

The Passion—defeat of the rival realm of God's antagonists. It is in vain that they attempt to kill this provocation and to extinguish its fire on earth. They have kept trying again and again, and in their efforts Christians and Christian spirit has been railed, prosecuted and liquidated. But no power is able to hinder the resurrection and the rise above and beyond the fallen adversary. Is this the reason why the Passion play at Oberammergau is being slandered?

The villagers erect the Cross against hate, for the sake of peace and reconciliation. In the Cross only there is salvation! The power of the Cross alone can deliver man from the demons of our time. Christ offers the great hope, and not the belief in progress demasking the aimlessness of our society and shocking it into a possible self-annihilation. This can be manipulated; therefore, the futurity fiction of our present literature does not describe the promised paradise but hell on earth which the godless prepare for us: Orwell—"1984"; Huxley—"Brave new world"; Werfel—"Star of the Unborn" down to "Doomed in all eternity". Is this the reason why people go to Oberammergau? to learn and hear of the future such as God has planned for man?

The Preaching of the Faith in the Passion Play

The tableaux vivants depict the inner link existing between the Old and New Testaments. They fill the spiritual span between the word and the deed—word figurations like the parables of Jesus and the prophets—and they interpret His coming over the generations of the Old Testament.

The votive play of Oberammergau is done in the humble spirit of serving the Revelation and of bringing men closer to Christ: the best man can do.

The promotion of Christendom in this world is unthinkable without the suggestive power of the image and the symbol. The acknowledgment of the symbol as a witness for the Incarnation of the Lord is the acknowledgment of the Revelation to translate into something visible and tangible those parables and symbols that Christ himself has used from the manger to the Cross, from his baptism until his ascent to heaven. Where words fail, symbols and images will help because religious feeling "suffocates all to easily somewhere in the depth of our conscience or evaporates as if unreal in spiritual abstractions without this corporeal representation" (Karl Rahner). God helps by having rendered the Saviour visible to our eyes.

The present iconoclasm takes place in a time of verbal inflation and aims at the destruction of symbolic, i.e. of symbolic-religious thinking as it is adequate to Christ's message—a reduction of the faculty of thinking by a most significant dimension. When symbols and the symbolic language are being distorted, mocked at and deprived of their value religious and symbol-like feeling turn into psychological and abstract thinking. If man ceases to behold God's living image in Christendom and if the Second Person of the Trinity is not able any more to present Himself, man's religious conscience is bound to die and sink back into abstract ruminations void of symbols and their supporting strength. This would mean a denial of the fact that we are God's image and thus an attack upon the spiritual structure of our world. Because the image of God—Christ—is neither a legend nor a conjecture but a historical fact: "And the word has become flesh." "We have seen His glory". "Now we are looking through a mirror in a dark Word, but then from face to face." The "logos" can be beholden for the redemption of mankind. "Come and see!"

The Incarnation of Christ is the repetition and continuation of the history of creation (Rom. 8, 22). Christ—the chief of humanity, the Master of history and the Lord of the universe shall bring both, man and universe, to God Father. The pictorial works of the great masters, of Grünewald, Michelangelo and El Greco incorporate the rise of matter to life and its redemption in Christianity. To a certain extent, one might be tempted to say, the dualism of God and symbol in the visionary realm corresponds better with the basic character of Christendom than a unio mystica without symbols which again and again raises the problem whether or not such devoutness of the pure transcendency of the spirit really is Christian. (Karl Rahner).

In the Passion we not only meet God in actual history but also all patterns of behaviour and problems of men: love, charity, ready courage to make sacrifices up to holiness, but also all phases of betrayal down to its diabolical concentration in Judas and his delusive world of hate, envy, greediness and denunciation.

The symbolic play of Oberammergau, a destiny, a task and a common profession not only of a community or a landscape but of all men of good will. In the greatest final and decisive drama we are as fellow-sinners, fellow-sufferers and fellow-actors confronted with all the parts of human existence: the indolence of the rich and the rulers; the hypocracy of the scribes who want Christ out of the way because he interferes with their business and their power; the fickleness of the throng who—manipulated by unscrupulous agitators—sways from "Hosianna" to "Crucify him!"; the opportunism of Kilate allaying his conscience with a gesture; the avarice, greediness and falsehood of Judas that have twisted his nature; Peter's solemn denial and cowardice and that of the disciples torn between truth and the world, between self-preservation and conscience; the myrmidons with the rope, with clubs and weapons to kill the spirit; terror and menace to intimidate and confuse the faithful; the bribed witnesses—the innocent Naboth, too, is sentenced to death because of false witnesses—; the cowardly craftiness of the wire-pullers: nobody will take the responsibility for the planned crime; they try to push each other to the fore; the lot of the forsaken traitor: "He has betrayed his friend, we pursue our ennemy!" And while the half-hearted give way indifferently, the corrupters of the people stir up the lowest instincts of the throng with lies until they call for the blood of the innocent man and for the freedom of the murderer and get what they want. The haters still fear their victim in agony and death and demand the desecration of the corpse.

It is we, walking, speaking and acting there. We have seen and lived through the stations of the Cross, we know the powers that crucify the just. Has this sorrow and knowledge purified us and opened our mind to the truth? Has not everyone of us already sold the truth for thirty pieces of silver? Like the sons of Jacob who sold their brother? Who of us may claim that not once has he silenced the voice of his conscience, denied his better self and behaved cowardly before ruling false deities? However, the Passion also tells of those that suffered with the Lord, of Simon of Cyrene, of Veronica, of the justice of Nicodemus, of the silent suffering and sorrow of God's mother, of the unwavering loyalty of the women who never denied the Lord, of the remorse of the captain, of the penitent malefactor, and of the apostles, of their efficiency regarding a commonwealth on earth and of their having not the faintest notion after three year's intercourse with the Lord how to set about the erection of the realm of God. Thus they sleep instead of keeping vigil with the Lord. Yet they grow beyond their temporal existence, rising to an existence in the living truth and initiating the greatest revolution ever: the change of man. Until the great hope for a new existence with God will be fulfilled—in the resurrection. The Cross overcomes the human want of moderation in the craving for power, lust and knowledge; the resurrection is the sign and symbol of Christ's eternal presence. Only Christ can forgive our debt and bring freedom, the delivery from the forces and powers enslaving the soul of man and menacing thus his outward independence, too. Man alone cannot do this since he is only human in his relationship with God.

Oberammergau stands and falls with its vow announcing its truth which is our truth, too: God has become a man in order to redeem us. The recognition of this truth opens the way to Oberammergau and the Passion Play to many. If the village were to pass it over or to desist from it or to give up the testimony of faith under pressure or due to resignation or were it to "de-mythologize" the Passion and religion this would be equivalent to a defection and to a betrayal of the "mission for mankind" (Cardinal Faulhaber). Truth is not our creation, it belongs to God. We have no right to it but we are obliged by it. Christ has decreed that not one iota of his doctrine is to be modified; St. Paul explains further: Even an angel teaching something different must be cursed. Dr. Karl Ipser Rome—Salzburg

LE MYSTÈRE DE LA PASSION

représentation de la vie de Dieu parmi les hommes

En cette année 1970, la misère de l'humanité atteint à son comble. Depuis que l'homme moderne s'est détourné de Dieu, qu'il s'est fermé à l'au-delà, ce monde est caractérisé par l'incertitude, la résignation, la lutte de chacun contre tous. La quête acharnée du bonheur matériel a plongé une société devenue inhumaine dans un malheur qu'elle se refuse à admettre. «De la divinité à la brutalité par l'humanité» (Thielicke). Après un demi-siècle d'athéisme bruyant, les substituts de religion connaissent eux-mêmes une crise. L'homme a beau s'efforcer de se faire semblable à Dieu et de se libérer lui-même, sa tentative est vouée à l'échec.

Est-ce là la raison qui amène la foule à Oberammergau? Une terreur panique qu'ignoraient les générations précédentes paralyse les responsables, les gouvernements, les églises. Des conflits couvent, la «guerre froide», qui a pris des dimensions planétaires, peut à chaque instant se transformer en affrontement sanglant. Nous avons renoncé à assister les innocents et les opprimés, et à les aider contre la violence et le mensonge. Les extrémistes partent à la conquête du pouvoir: idéologues, révolutionnaires de métier, réformateurs agressifs, robots sans âme ni cerveau.

Une flétrissure de notre époque: les innombrables réfugiés, déportés, ceux qui fuyent devant l'ennemi, le «vainqueur», le tyran, le prophète de la lutte des classes. Ceux qui fuyent devant eux-mêmes, et que leur instabilité chasse sur les routes, les rails, les mers, à travers les nuages. Ils ont soif d'impressions fracassantes, d'émotions intenses, ils cherchent à être abasourdis, débordés, hébétés pour combler ce vide qui se creuse en eux, pour réduire au silence les voix intérieures. Et, dans ce désordre diabolique, les habitants d'Oberammergau érigent la croix.

Pourquoi vient-on à Oberammergau? A cause du voeu qui fut jadis fait contre la peste? La «peste». Dieu doit être mesuré aux critères établis par la raison, par la science, par la technique, par la sociologie; comme son existence ne peut être prouvée, il doit être éliminé de notre conscience, où il représente un illusoire stupéfiant, et remplacé par des doctrines «scientifiques». Car l'histoire est régie par des lois naturelles, l'avenir se déroulera selon un plan préétabli. Dieu est donc devenu aussi superflu qu'inutile. Les «âmes mortes» dégradent l'individu, en font un outil, un camarade qui, dans une existence programmée, renonce à l'Evangile au profit de slogans et de manifestes. L'absence de sagesse et la révolte du 19ème siècle, à bout desquels nous ne sommes pas encore venus, défigurent notre époque.
La Passion traite également de l'avenir de l'humanité: la façon dont Dieu est entré dans notre histoire — en Jésus-Christ; la perspective d'éternité et le sens nouveau donnés dès ce moment à notre existence par l'amour de Dieu. Le passage de Dieu parmi les hommes. L'identité et l'unité de la doctrine et de la vie. Le Christ est inévitable, le monde, l'homme, l'univers lui ont été remis. Il est immuable; nul ne peut l'esquiver. C'est cette réalité qui, jusqu'à la fin des temps, donne son sens à l'histoire. Le Nouveau Testament décrit sa vie temporelle avec les hommes. La Vérité, incarnée une unique fois, a vécu comme elle devait vivre, a agi sur terre, a souffert la mort qu'elle devait attendre. La Vérité n'est accessible que si l'on croit à la Révélation. Elle seule nous permettra de discerner entre l'esprit de vérité et l'esprit de fausseté, entre celui qui vivifie et celui qui tue.
La Passion: la défaite de l'anti-royaume édifié par les ennemis de Dieu. C'est en vain qu'on s'efforce d'anéantir ce défi irritant, d'éteindre le feu ainsi allumé. On l'a toujours tenté, jusqu'à notre époque; les chrétiens, le christianisme ont été perpétuellement raillés, persécutés, liquidés. Mais nulle puissance n'est susceptible d'empêcher que la Résurrection ne triomphe de ses adversaires écrasés.
Est-ce le motif des calomnies auxquelles la Passion d'Oberammergau est aujourd'hui en butte?
Nos villageois ont érigé la croix contre la haine, pour la paix et la réconciliation. C'est dans la Croix, dans elle seule, que réside le salut. Sa force est seule à même de libérer l'homme des démons de notre époque. La grande espérance, c'est le Christ et non cette foi dans le progrès qui dévoile l'incapacité de notre société à trouver un but et fait planer sur elle la menace de l'auto-destruction. Que ce soit chose faisable, on en trouve la preuve dans les romans d'anticipation; ceux-ci ne décrivent pas le paradis programmé, mais bien l'enfer sur terre que l'homme sans Dieu prépare à ses semblables: qu'on en prenne pour exemple le «1984» d'Orwell, le «Meilleur des mondes» de Huxley, l'«Etoile de ceux qui ne sont pas nés» de Werfel et même «Damnés pour l'éternité». Vient-on à Oberammergau pour cette raison, pour voir présenter l'avenir tel que Dieu l'a conçu pour les hommes?

Le message de la représentation

Les tableaux vivants montrent les relations entre Ancien et Nouveau Testament, comblent l'espace intellectuel qui existe entre mot et action; ce sont des images, comme les paraboles des Prophètes et de Jésus, qui annoncent Sa venue par le truchement des personnages de l'Ancienne Loi.
Le vœu fait à Oberammergau met la représentation au service de la Révélation et rapproche l'homme du Christ — nulle activité n'est plus noble que celle-là. L'accomplissement du christianisme dans les temps est impensable sans image. Admettre que l'image témoigne de l'Incarnation du Seigneur, c'est confesser la Révélation, concrétiser et visualiser les signes que le Christ lui-même nous donne, de la crèche à la croix, du Baptême à l'Ascension.
«Lorsque le mot ne suffit plus, les signes et les images prennent sa relève, car l'élément religieux, sans représentation figurative, serait trop enclin à s'étouffer dans la profondeur de la conscience ou à s'évaporer, comme devenu irréel, dans l'abstraction de l'esprit». (Karl Rahner). Dieu aide les hommes en rendant visible le Rédempteur. Les iconoclastes actuels vivent à une époque d'inflation verbale; ils visent à détruire la pensée religieuse figurative qui convient au message du Christ, à priver la vie d'une dimension décisive. Là où l'on défigure, persifle et dévalue les images et leur langage, le sentiment symbolique de la religion se transforme en une pensée psychologique abstraite. Lorsque l'homme ne se situe plus à l'intérieur d'un christianisme visible et à son image, qu'il ne peut plus se représenter la seconde personne de la Trinité, sa conscience religieuse s'évanouit; il retombe dans un univers abstrait, dépourvu d'images. Ceci revient à dire qu'il nie l'identité entre Dieu et l'homme fait à son image, et qu'il attaque par conséquent la structure spirituelle de notre monde. Car l'image de Dieu — le Christ — n'est pas une légende ou une hypothèse, mais une réalité historique. «Et le verbe s'est fait chair». «Nous avons vu sa splendeur». Maintenant, nous ne voyons encore qu'à travers un miroir dans un mot obscur, mais un jour ce sera face à face». Le Logos est devenu visible pour le salut de l'humanité. «Venez et voyez!» L'Incarnation du Christ est la reprise et la suite de la Création (Rom. 8, 22). Le Christ, chef de l'humanité, maître de l'histoire, seigneur de l'Univers, amènera à son Père et l'homme et le cosmos. Les œuvres des grands artistes, Grünewald, Michel-Ange, le Gréco, symbolisent cette ascension de la matière à la vie et sa libération par le Christ.
«Sur un certain plan, pourrait-on dire, la dualité de Dieu et du signe dans le domaine visionnaire ... correspond plus au caractère fondamental du christianisme qu'une unio mystica d'espèce non-figurative devant laquelle on se repose l'éternel problème de savoir si cette piété de pure transcendance spirituelle est vraiment chrétienne» (Karl Rahner). Dans la Passion, nous ne rencontrons pas seulement Dieu dans l'histoire, mais toutes les formes de comportement et tous les problèmes humains: l'amour, la bonté, le sacrifice poussé jusqu'à la sainteté,

mais aussi toutes les étapes de la trahison qui se cristallisent diaboliquement dans Judas et dans son monde fictif de haine, d'envie, d'avarice et de calomnie.
La Passion d'Oberammergau incarne une mission, une profession de foi, un destin, — non seulement ceux d'un village, d'une région, mais de tous les hommes de bonne volonté. Dans le dernier et le plus décisif des drames, tous les rôles de la condition humaine sont joués devant nous: mais nous ne sommes pas spectateurs passifs, car nous assumons notre part de la culpabilité, de la souffrance, de l'action; nous voyons la lâcheté des riches et des possédants, l'hypocrisie des docteurs, qui veulent faire disparaître Jésus parce qu'il menace leurs affaires et leur pouvoir, la versatilité de la foule qui, poussée par des provocateurs perfides, vacille du «Hosanna» au «Crucifiez-le!», l'opportunisme de Pilate qui, d'un geste, apaise sa conscience, l'avarice, l'avidité et le mensonge défigurant Judas, le faux serment et la lâcheté de Pierre et des disciples, pris entre la vérité et le monde, entre leur conscience et l'instinct de conservation; les bourreaux armés de cordes, de gourdins et d'épées pour tuer l'esprit, la terreur et la menace pour intimider et désorienter les fidèles; les témoins soudoyés — ce sont également des faux témoignages qui ont fait condamner l'innocent Naboth —, la lâcheté rusée des meneurs: personne ne veut assumer la responsabilité du crime prévu, chacun la regrette sur son voisin; le destin du traître renié: «Il a trahi son ami, nous nous persécutons notre ennemi», Et, tandis que les tièdes font preuve d'indifférence et de mollesse, les corrupteurs du peuple excitent par leurs mensonges les instincts les plus bas, jusqu'à ce que la foule hurlante réclame et obtienne le sang de l'innocent et la liberté du meurtrier. Et ils craignent tant leur victime que ces êtres haineux exigent la profanation du cadavre.
De fait, c'est nous qui marchons, parlons, agissons ainsi. Nous avons vu et vécu les stations du chemin de la Croix, nous connaissons les puissances qui ont crucifié le Juste. Cette souffrance, cette expérience nous ont-elles éclairés, ouverts à la vérité? Chacun de nous, à un moment ou à un autre, a vendu la vérité pour trente deniers. Comme les fils de Jacob l'ont fait de Joseph leur frère. Qui de nous peut prétendre n'avoir jamais étouffé la voix de sa conscience, n'avoir jamais renié ce qu'il avait de meilleur, n'avoir jamais capitulé devant les idoles du jour?
Mais la Passion nous rappelle aussi la sympathie — au sens fort du terme — de Simon de Cyrène et de Véronique, l'équité de Nicodème, la patience et la résignation de la mère, la fidélité inébranlable des Saintes Femmes qui n'ont jamais renié le Seigneur, la conversion du centurion, la foi du Bon Larron et des apôtres, la naïve astuce de ceux-ci, qui, après trois ans de commerce avec le Seigneur se leurrent encore sur l'établissement du Royaume de Dieu. C'est pourquoi ils dorment au lieu de veiller avec Lui. Cependant, ils dépassent leur existence dans le monde pour parvenir à l'existence de la vérité vivante et déclenchent la plus importante des révolutions: la transformation de l'homme.
Enfin, la grande espérance se réalisera, celle d'une nouvelle existence avec Dieu

— dans la Résurrection. La croix l'emporte sur la démesure que l'homme met dans son désir de pouvoir, de plaisir et de savoir; la Résurrection est le signe de l'éternelle présence du Christ. Seul le Christ peut pardonner les fautes et apporter la liberté, libérer l'homme des forces et des puissances qui asservissent sa vie intérieure et menacent par conséquent son autonomie extérieure. L'homme n'y suffirait pas à lui seul, car il reste humain dans sa relation avec Dieu.

Oberammergau n'a de sens que de par son vœu, dans lequel se manifeste sa vérité, cette vérité qui est aussi nôtre: Dieu s'est fait homme pour nous délivrer. Nombreux sont ceux qui doivent à la Passion d'Oberammergau, d'avoir rencontré cette vérité. Si le village l'ignorait ou l'oubliait, s'il renonçait, sous la menace ou par résignation, à porter ce témoignage, si l'on «démythifiait» la Passion et la religion, ce serait un reniement, une trahison de la «mission pour l'humanité» (Cardinal Faulhaber) qui lui a été confiée.

La vérité n'est pas notre création; elle appartient à Dieu. Nous n'avons aucun droit sur elle, mais elle nous oblige. Le Christ a prescrit qu'on ne touche pas à un ïota de sa doctrine; et St. Paul explique qu'il faudrait maudire l'ange qui enseignerait autre chose.

Dr. Karl Ipser, Rome-Salzbourg

DER PASSIONSCHOR
THE CHORUS OF THE PASSION PLAY
LE CHŒUR DE LA PASSION

PROLOG
Franz Zwink

THE SPEAKER
OF THE PROLOGUE
Franz Zwink

LE PROLOGUE
Franz Zwink

CHRISTUS Helmut Fischer
CHRIST Helmut Fischer
LE CHRIST Helmut Fischer

MARIA Beatrix Lang
MARY Beatrix Lang
MARIE Beatrix Lang

DIE VERTREIBUNG AUS DEM PARADIES

(Gen. 3, 17–24 – Textbuch S. 13)

Gott hatte die Stammeltern Adam und Eva in natürlicher und übernatürlicher Vollendung erschaffen und sie in einen Wonnegarten, das Paradies, versetzt. Nach Gottes Willen sollten sie und ihre Nachkommen für alle Zeit glücklich leben und vor allem Leid bewahrt bleiben. Allerdings sollten sie sich dieses Glück durch das Bestehen einer Gehorsamsprobe verdienen. Diese Probe haben sie leider nicht bestanden. So haben sie durch ihren Ungehorsam sich die Strafe Gottes zugezogen, für sich und alle Menschen: sie wurden aus dem Paradies verstoßen. Damit nahm alles Leid in der Welt seinen Anfang.
Das Leiden Christi ist nicht zu verstehen ohne die Sünde. Gäbe es keine Sünde, so hätte auch der Sohn Gottes nicht leiden müssen. Deshalb steht die Sünde der Stammeltern und ihre Folge mit Recht am Anfang des Passionsspieles.
Das erste Lebende Bild zeigt erschütternd die erste Folge der Sünde Adams: die Vertreibung aus dem Paradies. Adam ist noch ganz betäubt von dem Strafurteil Gottes. Eva schaut noch einmal zurück nach dem verlorenen Glück des Paradieses, sieht aber erschrocken, daß der Eingang desselben von einem Cherub bewacht wird, der ein flammendes Schwert trägt.
Gewaltig, düster und unübersteigbar türmen sich die Felsen zu beiden Seiten auf, um die Furchtbarkeit des selbstverschuldeten Verhängnisses anzudeuten.

THE EXPULSION FROM PARADISE

(Gen. 3, 17–24–Text-book p. 13)

God had created our first parents, Adam and Eve, in natural and supernatural perfection and had put them into a happy garden called Paradise. God willed that they and all their issue should happily live forever and remain free from all sorrow. However, they were first to earn their happines by standing a test of obedience. Unfortunately, they failed. By their disobedience they have incured the wrath and punishment of God, for themselves and all men: they were driven out of Paradise. Thus began all sorrow in this world.
The Passion of the Lord cannot be understood without the existence of sin. If there were no sin God's own son would not have had to suffer. Therefore, the sin of our first parents and what ensued from it is justly placed at the beginning of the Passion Play.
The first tableau vivant shows the immediate and terrible consequence of Adam's sin: the expulsion from Paradise. Adam is still stunned by God's judgement. Eve, looking once more back at the lost happiness of Paradise, realizes with a pang of fright that its entrance is now guarded by a Cherubim carrying a flaming sword.
In ominous and dismal gloom, the unsurmountable rocks are towering on both sides to indicate the terrible fate Adam and Eve have brought upon themselves.

ADAM ET ÈVE CHASSÉS DU PARADIS TERRESTRE

(Gen. 3, 17–24 – Livret p. 13)

Lorsqu'il les créa, Dieu avait donné à nos premiers parents, Adam et Eve, toute perfection naturelle et surnaturelle; et il les avait placés dans un jardin de délices, le Paradis. La volonté de Dieu était qu'ils y soient éternellement heureux, eux et leurs descendants, et qu'ils y soient préservés de tous les maux. Mais ce bonheur devait dépendre d'une épreuve imposée à leur obéissance.
Or ils ne résistèrent malheureusement pas à cette épreuve; et leur désobéissance attira la punition de Dieu sur Adam, Eve et leur postérité. Ils furent chassés du Paradis. Et le mal apparut alors dans le monde.
Seul le péché explique la souffrance du Christ. S'il n'y avait pas eu de péché, le Fils de Dieu n'aurait pas été obligé de souffrir. C'est donc à juste titre que la faute de nos premiers parents introduit l'histoire de la Passion.
Le premier tableau vivant représente de manière émouvante la première conséquence de la faute d'Adam – l'expulsion du Paradis. Adam est encore tout abasourdi de la sentence divine. Eve, pleine de nostalgie, se retourne vers l'Eden perdu, mais voit avec effroi que l'entrée du jardin est gardée par un Chérubin au glaive de feu.
Des deux côtés s'entassent des rochers sombres, énormes, inaccessibles, évoquant le caractère terrifiant de la fatalité dont Adam et Eve sont responsables.

VEREHRUNG DES KREUZES

(Textbuch S. 14)

Aus eigener Kraft hätte sich der in die Sünde gefallene Mensch nie mehr aus seinem Elend retten können. Aber wo die Sünde mächtig war, da war die Gnade noch viel mächtiger. (Röm. 5, 20.)
Schon gleich nach dem Sündenfall wurde den Stammeltern der Erlöser verheißen. Zur Schlange, d. h. zum Teufel, sprach Gott: »Er (nämlich der Erlöser) wird dir den Kopf zertreten!« (Gen. 3, 15). Es sollten freilich noch viele Jahrtausende vergehen, bis dieser kam. Durch sein Leiden und seinen Kreuzestod hat Jesus die Sünde der Stammeltern gesühnt und überwunden und dadurch der Menschheit das Heil und das Leben wiedergeschenkt. So ist Jesus Christus zum Opferlamm geworden, das die Sünden der Welt weggenommen hat. Die Kirche singt daher mit Recht am Karfreitag: »Sehet das Holz des Kreuzes, an dem das Heil der Welt gehangen. Kommt, laßt uns anbeten!«
Die Kreuzverehrung bildet einen wesentlichen Bestandteil des Gottesdienstes am heiligen Karfreitag. Sie steht auch ganz richtig am Beginn des großen Oberammergauer Spieles vom Leiden des Herrn. Das zweite Lebende Bild zeigt eindrucksvoll die Verehrung des Kreuzes. Jung und alt, das ganze Volk, verharrt im Gebet vor dem Zeichen unserer Erlösung.

VENERATION OF THE CROSS

(Text-book p. 14)

Man fallen as he was would never have been able to save himself from his misery by his own strength alone.
"But where sin abounded, grace did much more abound." (Romans 5, 20.) Following upon the fall of man, our first parents were promised the Redeemer. God said unto the serpent that was the devil: "He (the Saviour) shall bruise your head!" (Gen. 3, 15). Many thousands of years, though, passed before he came. By his sufferings and his crucifixion Jesus has atoned for the sin of our first parents, redeemed mankind and assured its salvation. Thus, Christ has become the sacrificial Lamb that has relieved the world of its sins. Therefore, the Church rightly sings on Good Friday: "Behold the wood of the Cross on which has hung the salvation of the world. Let us go and worship!"
The veneration of the Cross forms an essential part of the divine service on Good Friday. It stands quite rightly next in the sequence of tableaux in the great Oberammergau Passion Play. This second tableau vivant impressively shows the veneration of the Cross. Old and young and all people remain gathered in devout prayer before the sign of our salvation.

VÉNÉRATION DE LA CROIX

(Livret, p. 14)

S'il n'avait pu compter que sur ses propres forces, l'homme tombé dans le péché n'aurait pu se sauver de sa misère. Mais « là où le péché avait été puissant, la grâce fut plus puissante encore » (Rom. 5, 20).
Dès après la chute, nos premiers parents s'entendirent promettre le Rédempteur. Dieu dit au serpent (c'est-à-dire au diable): « Il (le Rédempteur) t'écrasera la tête!» (Gen. 3, 15). Bien des millénaires devaient encore s'écouler avant sa venue. Par ses souffrances et sa mort sur la croix, Jésus a expié et surmonté le péché de nos premiers parents, rendant ainsi à l'humanité le Salut et la Vie. Ainsi Jésus devint-il l'agneau du sacrifice, qui a effacé les péchés du monde. C'est pourquoi l'Eglise chante, le Vendredi-Saint: « Voyez ce bois de la croix où a été suspendu le salut du monde. Venez et adorez! »
La vénération de la Croix est une partie importante de la liturgie du Vendredi-Saint. Elle a donc ausi sa place au début du Grand Jeu de la Passion d'Oberammergau. Le second tableau vivant retrace cette dévotion. Jeunes et vieux, tout un peuple croyant, se figent dans le recueillement et la prière devant le symbole de notre Rédemption.

INZUG IN JERUSALEM
NTRY INTO JERUSALEM
NTRÉE À JÉRUSALEM

'ERTREIBUNG DER HÄNDLER AUS DEM TEMPEL
'HE HAWKERS BEING TURNED OUT OF THE TEMPLE
ES MARCHANDS SONT CHASSÉS DU TEMPLE

KAIPHAS Arthur Haser
CAIAPHAS Arthur Haser
CAÏPHE Arthur Haser

ANNAS
Melchior Breitsamter sen.

ANNAS
Melchior Breitsamter sen.

ANNE
Melchior Breitsamter sen.

DER JUNGE TOBIAS NIMMT ABSCHIED VON SEINEN ELTERN

(Tob. 5 — Textbuch S. 24)

Als Tobias, der mit seinem Volk in die assyrische Gefangenschaft geraten war, sein Ende nahe glaubte, sandte er seinen Sohn, der ebenfalls Tobias hieß, von Ninive, der Hauptstadt Assyriens, wo er wohnte, nach Rages in Medien, um von seinem Stammesgenossen Gabael eine größere Geldsumme zu holen, die er ihm vor längerer Zeit geliehen hatte. Als Reisebegleiter auf dem weiten, unbekannten Weg bot sich dem jungen Tobias der heilige Erzengel Raphael in Gestalt eines stattlichen Jünglings an. Nach vielen guten Ermahnungen nahm der Sohn mit dem Segen des Vaters Abschied von seinen Eltern.

Kaum war Tobias mit seinem Begleiter weggegangen, fing seine Mutter Anna in bewegten Worten zu klagen an: »Vater, warum hast du Tobias ziehen lassen? Die Stütze unseres Alters hast du uns genommen!« Der Vater tröstete sie: »Weine nicht! Unser Sohn wird wohlbehalten zu uns zurückkehren, und deine Augen werden ihn wiedersehen.«

Wie der junge Tobias von seinen Eltern, so nahm Jesus in Bethanien zärtlichen Abschied von seiner Mutter, bevor er in sein Leiden hineinging. Auch *er* konnte sie, ähnlich wie Vater Tobias seine Gattin, mit dem Hinweis trösten, daß sie ihn in wenigen Tagen in unaussprechlicher Freude wiedersehen werde.

Im dritten Lebenden Bild wird uns der rührende Abschied des jungen Tobias von seinen Eltern vor Augen geführt. Er kniet nieder, um den Segen des Vaters zu empfangen. Der Erzengel Raphael ist bereits vorausgegangen und wendet sich nach Tobias um. Einige Verwandte und Freunde sehen dem ergreifenden Abschied zu.

YOUNG TOBIAS TAKES LEAVE OF HIS PARENTS

(Tob. 5 — Text-book p. 24)

When Tobit who with all his people had been carried captive into Assyria believed his life to be drawing near the end he sent his son, who was called Tobias after him, from Nineveh, the capital of Assyria where he lived, to Rages in Media in order to bring back from Gabael, a member of his tribe, a large sum of money he had lent him quite some time ago. As a travelling-companion on the long and hazardous journey the holy archangel Raphael offered himself in the disguise of a good-looking young man. After many a good advice the son took leave of his parents with his father's blessing.

Tobias and his companion had hardly left his home when his mother Anna began bewailing her son in moving tones: "Father, why hast thou let Tobias go? Thou hast taken the comfort of our old age away from us." The father comforted her: "Do not weep! Our son will safely return to us and thine eyes will feast on him again."

Just as Tobias took leave of his parents so did Jesus at Bethany, bidding a fond farewell to his mother before he went to meet his sorrows. He, too, was able to comfort her as Tobit had comforted his wife by telling her that in a few days hence she was to see him again in a bliss beyond words.

The third tableau vivant shows us Tobias' touching parting from his parents. He is kneeling down to receive his father's blessing. The archangel Raphael having gone ahead is turning round to wait for Tobias. Some relatives and friends of the family witness the moving scene.

LE JEUNE TOBIE PREND CONGÉ DE SES PARENTS

(Tob. 5 — Livret, p. 24)

Lorsque Tobie, qui avait été, avec tout son peuple, fait captif et emmené en Assyrie, sentit venir sa fin, il envoya son fils, également nommé Tobie, à Ragès de Médie, pour réclamer à son compatriote Gabael une grosse somme qu'il lui avait prêtée il y avait longtemps déjà. Le chemin était long et difficile de Ninive, capitale de l'Assyrie, où habitait Tobie, jusqu'à Ragès. Un noble adolescent s'offrit comme compagnon de voyage; or c'était, sous des traits humains, l'Archange Raphaël. Après bien des conseils et des recommandations, le père bénit le fils qui prit congé de ses parents.

A peine le jeune Tobie était-il parti qu'Anna, sa mère, se mit à éclater en récriminations: « Pourquoi as-tu fait partir Tobie? Tu nous as enlevé le bâton de notre vieillesse. » Et le père de la consoler: « Ne pleure pas! Notre fils reviendra vers nous sain et sauf, et tes yeux le reverront. »

Comme l'avait fait le jeune Tobie, Jésus prit tendrement congé de sa mère, à Béthanie, avant de s'engager sur la voie de sa Passion. Et il put aussi la consoler, en lui affirmant, comme le vieux Tobie le disait à sa femme, qu'elle le reverrait sous peu avec une joie inexprimable.

Le troisième tableau vivant nous montre les adieux émouvants de Tobie et de ses parents. Le jeune homme s'agenouille pour recevoir la bénédiction paternelle. L'Archange Raphaël, qui a pris les devants, se retourne vers Tobie. Des parents et des amis venus appeler les bénédictions du Ciel sur ce long et périlleux voyage.

DIE LIEBENDE BRAUT BEKLAGT DEN VERLUST IHRES BRÄUTIGAMS

(Hohel. 3, 1 ff.; 6, 1 ff. — Textbuch S. 25)

Das Hohelied, wegen seiner Schönheit im Alten Bund das »Lied der Lieder« genannt, gehört zu den erhabensten Gesängen der Weltliteratur. Es besingt in herrlichen Worten die bräutliche Liebe zweier junger Menschen, ihre Sehnsucht nach der Vermählung, den Schmerz der vorübergehenden Trennung und die Freude ihres Wiederfindens.

Die Kirche hat dieses Lied von jeher auf die Liebe Gottes zu seinem Volke bezogen. Das Lied bezieht sich aber auch auf die Liebe Gottes zu jeder Menschenseele, ganz besonders auf seine Liebe zur Gottesmutter Maria, und auf deren Liebe zu ihrem göttlichen Sohn.

Im Hohenlied (3,1 ff.) klagt die Braut in bewegten Worten, daß ihr Geliebter plötzlich entschwunden ist: »Nächtens auf meinem Lager suchte ich, den meine Seele liebt... Aufstehen will ich, die Stadt durchstreifen; suchen will ich ihn auf den Straßen und Plätzen, ihn, den meine Seele liebt...«

Diese Szene des Hohenliedes zeigt das vierte Lebende Bild: Die Braut erhebt sich von ihrem Lager, voll Schmerz über den Verlust ihres Bräutigams. Ihre Freundinnen, die »Töchter Jerusalems« (Hohel. 5,16), suchen sie zu trösten; einige wollen sie durch Saitenspiel erheitern.

So wie die Braut im Hohenlied mag auch die Gottesmutter geklagt haben, als ihr geliebter Sohn von Bethanien fortgegangen war. Sie weiß aber auch — und das ist ihr Trost —, daß sie ihren Sohn nach seiner Auferstehung wiedersehen wird.

THE LOVING BRIDE BEWAILS THE LOSS OF HER BRIDEGROOM

(Cant. 3, 1; 6, 1 et seq. — Text-book p. 25)

The Song of Solomon, called the "Song of Songs" in the Old Covenant because of its beauty, is one of the finest songs of world literature. In magnificent words it describes the bridal love of two young people, their longing for their nuptials, the sorrow of a passing separation and the bliss of their reunion.

The Church has always considered this song as referring to the love of God for his people. But the song also refers to the love of God for every single soul, and in particular to the Lord's love for his mother Mary and to her love for the Lord God, her Son.

In the Canticum Canticorum (3, 1) the bride complains in moving tones about her lover being suddenly gone: "By night on my bed I sought him whom my soul loveth . . . I will rise now, and go about the city in the streets, and in the broad ways I will seek him whom my soul loveth . . ."

That is the scene of the Songs of Songs that the fourth tableau vivant is showing: The bride rises from her bed full of sorrow over the loss of her bridegroom. Her friends, the "daughters of Jerusalem" (Cant. 5, 16) try to comfort her. Some want to cheer her up by playing their string-instruments.

Like the bride in the Song of Solomon, the mother of God may have bewailed the parting of her son from Bethany. She knows, though, too, and this is her comfort, that she will see her son again in a few days, after his resurrection.

L'ÉPOUSE DÉPLORE LE DÉPART DU BIEN-AIMÉ

(Cantique des Cantiques, 3, 1 sq; 6, 1 sq. Livret, p. 25)

Le « Cantique des Cantiques », ainsi appelé à cause de sa beauté, est un des plus admirables poèmes lyriques de la littérature mondiale. En vers splendides, il chante l'amour entre deux jeunes gens, leur désir de s'unir, la douleur d'une séparation passagère et la joie des retrouvailles.

De toujours, l'Eglise a rapporté ce cantique à l'amour de Dieu pour son peuple. Mais il s'applique aussi à l'amour de Dieu pour chaque âme, en particulier à celui qu'il éprouve pour la Mère de Dieu, et à l'amour de celle-ci pour son divin fils.

Dans le Cantique des Cantiques, l'épouse se plaint tristement que son bien-aimé ait subitement disparu: « Sur ma couche pendant la nuit, j'ai cherché celui que mon cœur aime.... je veux me lever, parcourir la ville; je veux le chercher dans les rues et sur les places, celui que mon cœur aime... » (3, 1 sqq).

C'est cette scène que montre le quatrième tableau vivant. L'épouse se lève de sa couche, pleine de douleur parce que le bien-aimé n'est plus là. Ses amies, les « filles de Jérusalem » (Cant. 5, 16) cherchent à la consoler; certaines veulent la distraire en jouant de la harpe.

La Mère de Dieu a dû éprouver des sentiments semblables lorsque son fils bien-aimé a quitté Béthanie. Mais elle savait qu'elle le reverrait peu de jours plus tard, après sa Résurrection.

BETHANIEN
BETHANY
BÉTHANIE

ABSCHIED JESU

LEAVE-TAKING OF JESUS

LES ADIEUX DE JÉSUS

KÖNIG ASSUER VERSTÖSST DIE KÖNIGIN VASTHI UND ERHEBT DIE ESTHER

(Esth. 1, 2 ff.; 2, 1–18 – Textbuch S. 32)

Der Perserkönig Assuer (griech. Xerxes I., 485–465 v. Chr.) gab einst in seiner Residenz zu Susa allen seinen Fürsten und Beamten ein großes Festmahl. Dabei wollte er ihnen auch seine Gemahlin, die Königin Vasthi, vorstellen. Allein diese weigerte sich, in ihrem Schmuck vor den Gästen zu erscheinen. Dies verdroß den König so sehr, daß er seine Gattin verstieß und sich an ihrer Stelle ein armes, aber sehr schönes jüdisches Mädchen, namens Esther, zur Königin erwählte. Mit großer Prachtentfaltung wurde die Hochzeit gefeiert und Esther zur neuen Königin des persischen Reiches gekrönt.
Der Ehebund zwischen Assuer und der Königin Esther wird im Passionsspiel als Vorbild des »Ehebundes« betrachtet, den Gott mit dem Volke Israel, bzw. mit der heiligen Stadt Jerusalem, geschlossen hatte. Trotz aller Mahnungen der Propheten wurde dieses Volk Gott immer wieder untreu. Zuletzt sandte Gott seinen eignen Sohn, aber auch diesen nahm das Volk Israel nicht an, ja die Vorsteher des Volkes ruhten nicht bis der Gottessohn gekreuzigt wurde. Zur Strafe wurde die Stadt Jerusalem im Jahre 70 von den Römern zerstört; das Volk aber zum großen Teil in die Gefangenschaft geführt. An seiner Stelle wählte sich Christus ein neues Volk aus den Heiden, die Kirche, zu seiner Braut.
Im fünften Lebenden Bild ist die mit großem Prunk gefeierte Vermählung des Königs Assuer mit Esther dargestellt. Selbstbewußt steht der mächtige Perserkönig vor seinem Thron. Vor ihm kniet, das Haupt demütig gebeugt, Esther, die neue Königin des Perserreiches. Etwas rechts vom Thron ist die verstoßene Königin Vasthi zu sehen.

KING AHASUERUS BANISHES THE QUEEN VASHTI AND RAISES ESTHER

(Esth. 1, 2; 2, 1–18 – Text-book p. 32)

The Persian king Ahasuerus (greek: Xerxes I. 485–465 B. C.) once made a big feast unto all the princes and his servants at Shushan, his residence. He asked for Vashti, the queen, to shew her beauty to the people and the princes. But she refused to appear with the crown royal and all her jewels before the guests. The king became very angry so that he turned her out and, instead, chose a very beautiful yet poor Jewish maiden, called Esther, for queen. The wedding was celebrated with great pomp, and Esther was crowned the new queen of the Persian empire.
The marriage-bond between Ahasuerus and queen Esther is in the Passion Play considered as the archetype of the "marriage contract" that God has concluded with the people of Israel and with the holy city of Jerusalem. Despite all exhortations of the prophets the people were again and again unfaithful to God. At last, God sent his own Son but even he was not acknowledged by the people of Israel. The leaders of the people did not rest until they had him crucified. For punishment, the city of Jerusalem was destroyed by the Romans (in 70 A. D.) and almost all inhabitants were taken prisoners. In their stead, Christ chose a new people from the heathen—the Church—for his bride.
The fifth tableau vivant represents the wedding, celebrated with great pomp, of king Ahasuerus and the beautiful Esther. Self-confident, the powerful king of Persia, Ahasuerus, is standing before his throne. Esther, the new queen of the empire, is kneeling in front of him, her head bowed in humbleness. The proud former queen Vashti, now ousted by the king, is seen standing a little apart to the right of the throne.

LE ROI ASSUÉRUS RÉPUDIE LA REINE VASTHI ET ÉLÈVE ESTHER AU TRÔNE

(Esth. 1, 2 sqq; 2, 1–18 – Livret, p. 32)

Le roi des Perses Assuérus (pour les Grecs, Xerxès Ier, 485–465 a. C.) donna un jour dans son palais de Suse un grand festin pour tous ses princes et tous ses officiers. Il voulait à cette occasion leur présenter son épouse, la reine Vasthi. Mais celle-ci refusa de paraître devant les invités, parée de ses bijoux. Le roi en conçut un tel courroux qu'il répudia Vasthi et choisit à sa place, comme reine, une jeune juive du nom d'Esther, certes pauvre, mais d'une beauté éblouissante. Les noces furent célébrées avec une pompe extrême, et Esther couronnée reine de l'immense empire perse.
Les épousailles d'Assuérus et de la reine Esther sont considérées, dans le Jeu de la Passion, comme le symbole de l'union que Dieu avait conclue avec le peuple d'Israël et Jérusalem, la ville sainte. Malgré tous les avertissements des prophètes, le peuple élu ne resta point fidèle à Dieu. Lorsque Dieu lui envoya pour finir son propre fils, Israel ne reçut point celui-ci. Ses chefs même n'eurent de repos que le fils de Dieu ne soit crucifié. Jérusalem fut durement punie; les Romains la détruisirent entièrement (70 p. C.) Quant au peuple, il fut en grande partie emmené en captivité.
A la place d'Israël, Dieu élut un nouveau peuple parmi les païens, son Eglise qui devint son épouse.
Notre cinquième tableau vivant montre les noces fastueuses du roi Assuérus et de la jeune juive Esther. Le puissant monarque se tient orgueilleusement devant son trône. Devant lui, Esther, à genoux, la tête courbée en signe d'humilité. A quelque distance, à droite, la fière Vasthi qui vient d'être répudiée.

UDAS UND DIE HÄNDLER

UDAS ISCARIOT
ND THE MERCHANTS

UDAS
T LES MARCHANDS

DER HERR GIBT DEM VOLKE DAS MANNA

(2. Mos. 16 — Textbuch S. 39)

Bald nach dem Auszug aus Ägypten kam das Volk Israel in die Wüste Sin, die sich bis zum Sinai-Gebirge erstreckt.
Die Vorräte gingen zu Ende und die Israeliten begannen zu hungern. Da murrten sie gegen ihren Führer Moses und dessen Bruder Aaron und riefen: »Wären wir doch im Lande Ägypten geblieben; da saßen wir bei den Fleischtöpfen und hatten reichlich Brot zu essen!« Nun sandte ihnen Gott auf wunderbare Weise das Manna, das täglich ähnlich wie Tau vom Himmel fiel. Die Israeliten aßen es, bis sie in das Gelobte Land Kanaan kamen.
Dieses Manna ist ein Vorbild jenes Himmelsbrotes, das Christus beim Letzten Abendmahle seinen Aposteln gereicht hat. Unter der Gestalt des Brotes gab er ihnen seinen eigenen Leib zur Speise ihrer Seele. Er sprach: »Nehmet hin und esset! Das ist mein Leib, der für euch hingegeben wird. Tut dies zu meinem Gedächtnis!«
Mit diesen Worten setzte Jesus an Stelle der bisherigen blutigen Opfer ein neues Opfer, ein unblutiges Speise-Opfer, ein. So geht die Weissagung des Propheten Malachias in Erfüllung: »Vom Aufgang der Sonne bis zu ihrem Niedergang wird mein Name groß sein unter den Völkern, und überall wird meinem Namen ein reines Opfer dargebracht werden.«
(Mal. 1, 10 f.)
Das Wunder in der Wüste zeigt uns das sechste Lebende Bild. Moses, zu erkennen an den beiden Strahlen, die aus seinem Haupte hervorbrechen, und sein Bruder Aaron trösten das verzagte Volk mit dem Hinweis auf das wunderbare Brot, das Gott ihm geben wird. Viele aus dem Volke blicken erwartungsvoll zum Himmel.

THE LORD GIVES MANNA UNTO HIS PEOPLE

(II Mos. 16 — Text-book p. 39)

Soon after the exodus from Egypt the people of Israel arrived at the desert of Sin reaching as far as the Sinai mountains.
Provisions were dwindling, and the Israelites began to starve. They began to murmur against their leader Moses and his brother Aaron and cried: "Would to God we had stayed in the land of Egypt where we sat by the flesh pots and where we did eat bread to the full!"
Now God sent them the manna which miraculously fell daily from heaven like dew in the wilderness. The Israelites used to eat it until they arrived in the blessed land of Canaan.
This manna foretold of the bread that Christ was going to give his disciples at his last supper. In the form of bread he offered them his own body for the nourishment of their souls. He said: "Take and eat! This is my body, which is given for you; this do in remembrance of me!"
By those words Jesus replaced the hitherto bloody sacrifices by the new and unbloody oblations. Thus, the prophecy of Malachi (c. 500 B. C.) will be fulfilled: "For from the rising of the sun even unto the going down of the same my name shall be great among the Gentiles; and everywhere a pure offering shall be made in my name."
(Mal. 1, 10 et seq.)
The miracle in the desert is shown by the sixth tableau vivant: Moses, known by the two rays protruding from his head, and his brother Aaron comfort the despondent people by speaking of the miraculous bread God has promised them. Many of the people look hopefully towards heaven.

LE SEIGNEUR DONNE LA MANNE AU PEUPLE

(Ex. 16 — Livret p. 39)

Peu de temps après son départ d'Egypte, le peuple d'Israël arriva au désert de Sin, qui s'étend jusqu'aux montagnes du Sinaï.
Les provisions touchaient à leur fin, et les Israélites commencèrent à souffrir de la faim. Et ils murmuraient contre leur chef Moïse et son frère Aaron, disant: «Que ne sommes-nous restés dans le pays d'Egypte! Nous étions assis devant les marmites de viande et nous avions du pain à notre content!» Et Dieu leur envoya la manne du miracle, qui tombait tous les jours du ciel comme la rosée. Les Israélites s'en nourrirent jusqu'à leur arrivée à Chanaan, la Terre Promise.
Cette manne est le symbole du pain céleste que le Christ a distribué à ses Apôtres lors de la dernière Cène. Sous forme de pain, c'est son propre corps qu'il leur donna pour nourrir leur âme. Et il dit: «Prenez-en et mangez! Ceci est mon corps qui sera immolé pour vous. Faites ceci en mémoire de moi!»
Par ces mots, Jésus substituait aux sacrifices sanglants en usage un nouveau sacrifice, sans effusion de sang. Ainsi s'accomplit la prophétie de Malachie: «Du lever du soleil jusqu'à son coucher, mon nom sera grand parmi les nations, et partout on offrira à mon nom une oblation pure» (Mal. 1, 10 sq.).
Le sixième tableau vivant nous présente le miracle du désert. Moïse, qu'on reconnait aux deux rayons lumineux qui partent de son front, et son frère Aaron, consolent le peuple découragé en lui promettant le pain miraculeux que Dieu leur donnera. De nombreux Israélites lèvent vers le ciel des yeux pleins d'espoir.

DER HERR GIBT DEM VOLKE WEINTRAUBEN AUS KANAAN

(4. Mos. 13 — Textbuch S. 39)

Nachdem der Herr seinen Aposteln unter der Brotsgestalt seinen heiligen Leib dargereicht hatte, gab er ihnen auch sein heiliges Blut unter der Gestalt des Weines mit den Worten: »Dieser Kelch ist der Neue Bund in meinem Blute. Tut dies, so oft ihr ihn trinket, zu meinem Gedächtnis!«
(1. Kor. 11, 25.)
Auf diesen göttlichen Trank weisen im Alten Bund die Weintrauben hin, welche die Kundschafter, von Moses ausgesandt, den Israeliten aus Kanaan mitbrachten.
Das Buch Numeri (4. Buch Moses) berichtet hierüber:
Ein Jahr nach der Gesetzgebung auf Sinai brachen die Israeliten von dort auf und zogen nordwärts bis Kades an der Grenze von Kanaan. Von hier aus sandte Moses 12 Männer unter Führung von Josue und Kaleb in das verheißene Land, um es auszukunden.
Nach 40 Tagen kehrten diese zurück mit Granatäpfeln, Feigen und anderen Früchten. Sie brachten auch eine riesige Weintraube mit, die sie zu zweit an einer Stange tragen mußten. (Num. 13, 23—27.)
Im siebenten Lebenden Bild sehen wir — wie im vorigen Bild — die Israeliten in der Wüste an der Grenze des Landes Kanaan. Zwei Männer, wohl Josue und Kaleb, bringen ihnen an einer Stange eine riesige Weintraube aus Kanaan. Zwei andere Kundschafter tragen Granatäpfel aus dem Gelobten Lande. Moses und Aaron ermutigen das Volk, sich zur Eroberung dieses so fruchtbaren Landes aufzumachen.

THE LORD GIVES GRAPES FROM CANAAN TO HIS PEOPLE

(IV Mos. 13 — Text-book p. 39)

After the Lord had offered his holy body to the disciples in the form of the host he also gave them his holy blood in the form of wine and said: "This cup is the New Covenant in my blood; this do ye, as oft as ye drink it, in remembrance of me!"
(I Cor. 11, 25)
In the Old Testament, the grapes Moses's men brought back to the Israelites from Canaan, refer to this cup of the Lord.
The book Numbers (IV Moses) reports of this incident:
One year after the Ten Commandments had been given on Mount Sinai the Israelites left its wilderness and wandered north until they reached Cades on the border of Canaan where Moses sent twelve men led by Joshua and Caleb to spy out the promised land.
After forty days they returned with pomegranates, figs and other fruit. They also brought one giant cluster of grapes and they bare it between two upon a staff (Numbers 13, 23—27).
In the seventh tableau vivant (like in the previous scene) we observe the Israelites in the wilderness bordering upon the land of Canaan. Two men, probably Joshua and Caleb, carry a giant cluster of grapes from Canaan between them on a staff. Two other spies carry pomegranades from the promised land. Moses and Aaron encourage the people to set forth on the conquest of this so fertile land.

LE SEIGNEUR DONNE AU PEUPLE LES RAISINS DE CHANAAN

(Nombres 13 — Livret p. 39)

Lorsque le Seigneur eut distribué aux apôtres son corps sous forme de pain, il leur donna aussi son sang sous forme de vin en leur disant: « Ce calice est celui de la Nouvelle Alliance dans mon sang. Faites ceci en mémoire de moi, aussi souvent que vous le boirez » (1ère Cor. 11, 25).
Ce divin breuvage est préfiguré, dans l'Ancien Testament, par les raisins que rapportent de Chanaan les éclaireurs envoyés par Moïse.
Le livre des Nombres (4ème livre de Moïse) nous relate cet épisode:
Un an après avoir reçu les Tables de la Loi sur le Sinaï, les Israélites se mirent en route vers le Nord et atteignirent Qadech, aux frontières de Chanaan. Alors Moïse envoya douze hommes, sous la conduite de Josué et de Caleb, dans la Terre Promise pour l'explorer. Au bout de 40 jours, les éclaireurs revinrent avec des grenades, des figues et d'autres fruits. Ils rapportaient aussi une grappe de raisin si lourde qu'ils durent la porter à deux au moyen d'une perche (Nomb. 13, 23—27).
Dans ce tableau, comme dans le précédent, nous voyons les Israélites dans le désert aux frontières de Chanaan. Deux hommes, Josué et Caleb sans doute, portent à une perche l'énorme grappe de raisin. Deux autres ramènent des grenades, tandis que Moïse et Aaron exhortent le peuple à partir à la conquête de cette terre si fertile.

ABENDMAHL

THE LAST SUPPER

LA CÈNE

ABENDMAHL-Gebet

THE LAST SUPPER, Prayer

LA CÈNE, la prière

DIE SÖHNE JAKOBS VERKAUFEN IHREN BRUDER JOSEPH UM 20 SILBERLINGE

(Gen. 37, 23–28 – Textbuch S. 45)

Joseph, der elfte von den zwölf Söhnen des Patriarchen Jakob, den sein Vater besonders liebte, hatte einst einen merkwürdigen Traum: Er sah, wie die Sonne, der Mond und elf Sterne sich vor ihm verneigten. Seitdem haßten ihn seine 10 älteren Brüder, weil sie glaubten, Joseph wolle Herr über sie sein. Einmal, als sie ihre Herden in der Gegend von Sichem weideten, kam Joseph, nichts Böses ahnend, zu ihnen. Als sie ihn von ferne sahen, riefen sie: »Seht, da kommt der Träumer! Nun auf! Wir wollen ihn totschlagen und in eine Zisterne werfen und dann sagen, ein wildes Tier habe ihn gefressen.« Auf den Rat Rubens, des ältesten Bruders, töteten sie ihn jedoch nicht, sondern warfen ihn in eine leere Zisterne.
Kaum hatten sie ihn hineingeworfen, sahen sie in der Ferne eine Karawane ismaelitischer Kaufleute auf sie zukommen. Da meinte Juda, einer der älteren Brüder, man sollte Joseph an diese verkaufen. Deshalb zogen sie ihn aus dem Brunnen heraus und verkauften ihn um 20 Silberlinge an die Kaufleute.
Diese Szene zeigt das achte Lebende Bild. Einige der Brüder sind noch unschlüssig, was sie mit ihrem Bruder anfangen sollen, während die andern (in der Mitte) bereits von den Kaufleuten die vereinbarte Summe erhalten. Joseph spricht, zum Himmel aufblickend, ein Gebet um Errettung aus seiner Not.
Der »ägyptische Joseph«, der auf den Rat seines Bruders Juda um 20 Silberlinge an die fremden Kaufleute verschachert wurde, ist ein sprechendes Vorbild unseres Erlösers, den sein eigener Apostel Judas (man beachte den gleichen Namen!) an die Hohenpriester um 30 Silberlinge verkauft hat (Matth. 26, 14 f.).

THE SONS OF JACOB SELL THEIR BROTHER JOSEPH FOR TWENTY PIECES OF SILVER

(Gen. 37, 23–28 – Text-book p. 45)

Joseph, the eleventh of the twelve sons of the patriarch Jacob who loved him more than his other children, once had a strange dream: He saw in his dream that the sun and the moon and eleven stars made obeisance to him. Since then, his ten elder brothers hated him for his words and believed that Joseph wanted to reign over them. Once when they were feeding their flocks in Shechem, Joseph, without any foreboding of evil, went after his brothers. When they saw him afar off, they said: "Behold, this dreamer cometh! Let us slay him and cast him into some pit, and we will say, some evil beast hath devoured him." However, acting upon the advice of Reuben, their eldest brother, they did not kill him but cast him into an empty pit.
They had hardly done so when they looked and saw a company of Ishmeelite merchantman coming towards them from afar. And Judah, one of the elder brothers, said unto them that they should sell Joseph to the Ishmeelites. They drew and lifted him out of the pit and sold him to them for twenty pieces of silver.
This scene is represented in the eighth tableau vivant. Several of the brothers are still undecided about what to do with their brother while the merchants are already paying the sum agreed upon to others (in the centre). Joseph, with his eyes lifted up toward heaven, is praying for his rescue.
The "Egyptian Joseph" who upon the advice of his brother Judah was sold for twenty pieces of silver to the foreign merchants offers a convincing comparison with the fate of our Saviour who was sold by his own disciple Judas (the same name!) to the high priests for thirty pieces of silver (Matth. 26, 14 et seq.).

JOSEPH EST VENDU PAR SES FRÈRES POUR 20 DENIERS

(Gen. 37, 23–28 – Livret p. 45)

Joseph, le onzième des douze fils du patriarche Jacob, auquel son père portait une affection particulière, eut un jour un rêve étrange. Il vit le soleil, la lune et douze étoiles se prosterner devant lui. Depuis lors, ses dix frères aînés le haïssaient, croyant que Joseph voulait devenir leur maître. Ils menaient alors leurs troupeaux paître dans le pays de Sichem; Joseph, sans méfiance, vint les retrouver. Lorsqu'ils le virent arriver, ils s'écrièrent: « Voilà le rêveur qui vient! Tuons-le et jetons-le dans une citerne; et nous dirons qu'un bête fauve l'a dévoré. Et nous verrons alors ce qu'il en est de ses rêves! » Cependant, sur les conseils de Ruben, le frère aîné, ils renoncèrent à le tuer et se bornèrent à le jeter dans une citerne vide. A peine y avaient-ils enfermé leur frère qu'ils virent de loin une caravane de marchands ismaélites. Juda, l'un d'entre eux, suggéra de leur vendre Joseph: ils le retirèrent du puits et le vendirent aux étrangers pour vingt deniers d'argent.
C'est cette scène qui est représentée dans le huitième tableau vivant. Quelques-uns des frères semblent encore indécis, tandis que les autres (au centre) reçoivent déjà le prix convenu. Joseph lève les yeux au ciel qu'il implore de le délivrer.
Le « Joseph d'Egypte » que son frère Juda fit vendre pour 20 deniers d'argent est une image parlante de notre Rédempteur; celui-ci fut livré aux Grands-Prêtres par un de ses apôtres (qui s'appelait également Judas) pour la même somme.
(St-Math. 26, 14 sq.).

UDAS
Martin Wagner

UDAS ISCARIOT
Martin Wagner

UDAS
Martin Wagner

JUDAS VOR DEM HOHEN RAT

JUDAS ISCARIOT
BEFORE THE HIGH COUNCIL

JUDAS DEVANT LE GRAND CONSEIL

ADAM IM SCHWEISSE SEINES ANGESICHTES

(Gen. 3, 19 — Textbuch S. 53)

ADAM MUST EAT HIS BREAD IN THE SWEAT OF HIS FACE

(Gen. 3, 19—Text-book p. 53)

ADAM DOIT MANGER SON PAIN À LA SUEUR DE SON FRONT

(Gen. 3, 19 — Livret, p. 53)

Adam, der wegen seines Ungehorsams aus dem Paradies vertrieben wurde (vgl. das erste Lebende Bild!), muß sich und seine Familie mühsam vom Ertrag des Bodens, der um seinetwillen verflucht worden war, ernähren. Im Schweiße seines Angesichtes muß er nun sein Brot verdienen. Dies ist im neunten Lebenden Bild dargestellt. Wir sehen, wie er mit großer Anstrengung den Ackerboden bearbeitet, wobei zwei seiner Söhne den Pflug ziehen. Andere Söhne (im Hintergrund des Bildes) mühen sich gleichfalls bei der Arbeit. Eva, unsere Stammutter, betreut ihre kleineren Kinder in Erfüllung ihrer Mutterpflicht, die infolge des Sündenfalles für sie zu einer Plage geworden ist.
Adam, unser Stammvater, der in heißem Kampfe mit der Unfruchtbarkeit des seinetwegen verfluchten Erdbodens ringen muß und ihn mit seinem Schweiß benetzt, kann als Vorbild unseres Erlösers betrachtet werden, der in noch heißerem Ringen auf dem Ölberg blutigen Schweiß vergoß. (Luk. 22, 44).

Adam, driven out of Paradise because of his disobedience (cf. the first tableau vivant) must struggle hard to get a living for himself and his family by toilsomely labouring the ground that has been cursed for his sake. In the sweat of his face he must now eat his bread.
This is represented in the ninth tableau vivant. We observe how he is laboriously tilling the soil while two of his sons are ploughing. Others (in the background) are likewise working wearily. Eve, our first mother, is looking after her smaller children in fulfilment of her mother's duties which since the fall of man have become a misery to her.
Adam, our first father, who must laboriously fight the sterility of the soil cursed for his sake and wet the ground with his sweat may be compared to Christ when in his agony on the Mount of Olives his sweat fell down to the ground like big drops of blood (Luke 22, 44).

Adam, qui avait été banni du Paradis terrestre à cause de sa désobéissance (cf. premier tableau vivant), va être obligé d'arracher la nourriture des siens à un sol maudit par sa faute. Il doit manger son pain à la sueur de son front.
Le neuvième tableau vivant met cet épisode en scène. Nous voyons Adam labourer à grand peine le premier champ; deux de ses fils tirent la charrue. D'autres fils (à l'arrière-plan) sont également en train de travailler. Eve s'occupe de ses plus jeunes enfants; elle accomplit ainsi un devoir maternel qui, à la suite du péché, est devenu pour elle une charge.
Adam, notre premier père, qui doit lutter contre un sol infécond et maudit et l'arrose de sa sueur, peut être considéré comme l'image de notre Rédempteur, dont le dernier combat sur le Mont des Oliviers fut plus pénible encore; la sueur et le sang ruisselaient de son front (St-Luc. 22, 44).

JOAB STÖSST DEM AMASA UNTER DEM SCHEIN DER FREUNDSCHAFT DEN DOLCH IN DIE BRUST

(2. Sam. 20, 7 – 10 – Textbuch S. 54)

Joab, ein Schwestersohn des Königs David, hatte dessen abtrünnigen Sohn Absalom gegen den ausdrücklichen Willen des Königs getötet (2. Sam. 18, 6 – 16). Zur Strafe entzog ihm David den Oberbefehl über sein Heer und übertrug diesen einem andern Neffen, namens Amasa.
Joab war schwer gekränkt und suchte sich zu rächen. Als er bei den Felsen von Gabaon (vgl. den Gesang des Chores!) Amasa auf sich zukommen sah, fragte er ihn heuchlerisch: »Geht es dir gut, mein Bruder?« Dabei faßte er ihn mit der einen Hand am Bart, wie um ihn zu küssen, mit der andern aber stieß er ihm seinen Dolch in den Leib, so daß Amasa starb.
In ähnlich heuchlerischer Weise mißbrauchte Judas am Ölberg den Freundschaftskuß, um seinen Herrn und Meister an dessen grimmigste Feinde zu verraten. Der heuchlerische Kuß des Judas war gleichsam ein Dolchstoß in die Seele seines Meisters.
Das zehnte Lebende Bild zeigt den Feldherrn Joab, wie er seinem Rivalen Amasa, der sein Vetter (also nach orientalischem Sprachgebrauch sein »Bruder«) war, heuchlerisch den Freundeskuß bietet, nur um ihn um so leichter töten zu können.
Voller Spannung richten sich die Blicke der umstehenden Krieger auf die Begegnung ihrer Oberbefehlshaber.

JOAB SMITES AMASA WITH HIS SWORD UNDER THE PRETENSE OF FRIENDSHIP

(II Sam. 20. 7 – 10 – Text-book p. 54)

Joab, a nephew of king David, had killed the king's disloyal son Absalom against David's express wish (II Sam. 18, 6–16). David deprived him of the command over his army in order to punish him and gave the command to Amasa, another of his nephews.
Joab was very much offended and tried to revenge himself. When he saw Amasa coming toward him near the great stone at Gibeon (cf. the song of the chorus!) he asked him with a dissembling mien: "Art thou in health, my brother?" And he took Amasa by his beard as if to kiss him and with his left hand smote him with his sword in the fifth rib so that Amasa died.
In just as hyprocritical a manner Judas abused the kiss of friendship on the Mount of Olives to betray his Lord and master to his worst ennemies. The hypocritical kiss of Judas was like the thrust of a sword into the soul of his Lord.
The tenth tableau vivant shows Joab, the commander-in-chief, offering the kiss of friendship with a dissembling mien to his rival Amasa who was his cousin (and according to the oriental manner of speech his "brother") in order to be able to kill him the more easily.
Anxiously, the surrounding soldiers are looking at the meeting of their commanders.

JOAB FEINT DE SE RÉCONCILIER AVEC AMASA ET LUI PLONGE SON ÉPÉE DANS LE CŒUR

(2 Sam. 20, 7 – 10 – Livret, p. 54)

Joab, neveu du roi David, avait désobéi à l'ordre exprès de son oncle et tué Absalon, le fils rebelle de celui-ci (2 Sam. 18, 6 – 16). Pour le punir, David lui retira le commandement en chef de son armée et le confia à un autre de ses neveux, du nom d'Amasa.
Joab fut ulcéré et chercha à se venger. Lorsqu'il vit Amasa venir à lui près des rochers de Gabaon (cf. les chants du chœur), il lui demanda hypocritement: « La paix est-elle avec toi, mon frère? » Et il saisit sa barbe de la main, comme pour l'embrasser; mais de l'autre main, il lui plongea son épée dans le corps et le tua.
C'est avec la même perfidie que Judas, au Jardin des Oliviers, usa du baiser de paix pour vendre son maître et seigneur à ses plus cruels ennemis. Le baiser hypocrite de Judas était comme un poignard plongé dans le sein de son maître.
Le dixième tableau montre Joab feignant d'embrasser son rival Amasa (son cousin, donc son « frère » pour les Orientaux) afin de pouvoir plus aisément accomplir son dessein.
Les regards des guerriers qui les entourent sont captivés par cette rencontre des deux généraux.

GEFANGENNAHME

CHRIST BEING TAKEN PRISONER

JÉSUS EST FAIT PRISONNIER

ɔER JUDASKUSS

ᵀHE TRAITOR'S KISS

.E BAISER DE JUDAS

DER PROPHET MICHÄAS ERHÄLT EINEN SCHLAG INS GESICHT, WEIL ER DEM KÖNIG ACHAB DIE WAHRHEIT SAGTE

(1. Könige 22, 1–36 — Textbuch S. 61)

Achab, König von Israel (873–854 v. Chr.), wollte zusammen mit dem König Josaphat von Juda gegen den König Benhadat von Aram in den Krieg ziehen, um ihm die Stadt Ramoth in Galaad zu entreißen. Vorher befragte er 400 Propheten des Baal, ob er den Krieg beginnen sollte. Sie weissagten, daß er siegen werde. Nur der Prophet Michäas sagte ihm Niederlage und Tod voraus, falls er gegen Ramoth ins Feld ziehen würde. Als er dem König sagte: »Der Herr hat einen Lügengeist in den Mund aller deiner Propheten gelegt, um dich zu verderben«, schlug ihm Sedekias, der Anführer der falschen Propheten, ins Gesicht. Würdevoll antwortete Michäas dem König: »Wenn du wirklich wohlbehalten aus dem Kriege heimkehrst, so hat der Herr *nicht* durch mich gesprochen!« Tatsächlich fiel der König in der Schlacht bei Ramoth.

Michäas, der von Sedekias ins Gesicht geschlagen wurde, nur weil er dem König Achab mutig die Wahrheit verkündete, ist ein Vorbild Christi, der von einem Knecht einen Schlag ins Gesicht erhielt, weil er dem Hohenpriester Annas eine furchtlose Antwort gegeben hatte. Mit göttlicher Würde konnte Jesus dem Knecht erwidern: »Habe ich Unrecht geredet, so beweise das Unrecht, habe ich aber recht geredet, warum schlägst du mich?« (Joh. 18, 13.)

Im elften Lebenden Bild sehen wir vor dem Thron König Achab, ihm zur Seite seinen Verbündeten König Josaphat von Juda. Im Vordergrund steht würdevoll der Prophet Michäas, der zu Achab spricht: »Der Herr hat Unheil über dich beschlossen!« Der Lügenprophet Sedekias versetzt ihm darauf einen Schlag ins Gesicht.

THE PROPHET MICAIAH IS SMITTEN ON THE CHEEK BECAUSE HE TELLS KING AHAB THE TRUTH

(I Kings 22, 1–36 — Text-book p. 61)

Ahab, king of Israel (873–854 B. C.) wanted to go to battle against king Benhadat of Aram with king Jehoshaphat in order to take the city of Ramoth in Gilead. Before they set out on their venture king Ahab asked four hundred prophets of Baal whether or not he should begin this war. They all prophesied that Ramoth would be delivered into his hands. Only the prophet Micaiah prophesied his failure and his death in case he went to battle to Ramoth. When he told the king: "The Lord hath put a lying spirit in the mouth of all these thy prophets in order to bring evil on to thee", Zedekiah, the leader of the false prophets, smote him on his cheek. With dignity, Micaiah answered back to the king: "If thou return at all in peace the Lord has not spoken by me!" Actually, the king was slain in the battle of Ramoth.

Micaiah, whom Zedekiah smote on his cheek because he courageously told king Ahab the truth might be compared to Christ who was struck in his face with the palm of an officer's hand because he had dared to give Annas, the high priest, a fearless answer. With divine dignity Christ answered the officer: "If I have spoken evil bear witness of the evil: but if well, why smitest thou me?" (John 18, 13).

In the eleventh tableau vivant we observe king Ahab before his throne, on his one side his ally king Jehoshaphat of Judah. In the foreground the prophet Micaiah is standing and saying with dignity to Ahab: "The Lord hath spoken evil concerning thee!" The lying prophet Zedekiah then hits him across his face.

LE PROPHÈTE MICHÉE REÇOIT UN SOUFFLET POUR AVOIR DIT LA VÉRITÉ AU ROI ACHAB

(1 Rois 22, 1–36 — Livret p. 61)

Achab, roi d'Israël (873–854 a. C.), voulait s'allier avec le roi Josaphat de Juda contre le roi Benhadat d'Aran, pour lui enlever la cité de Ramoth en Galaad. Avant le début de la campagne, il demanda à 400 prophètes de Baal s'il devait attaquer la cité; tous lui promirent la victoire. Seul le prophète Michée lui prédit la défaite et la mort s'il assiégeait Ramoth. Lorsqu'il dit au roi: « Le Seigneur a mis un esprit de mensonge dans la bouche de tous tes ‹ prophètes › pour te perdre », Sédécias, le chef des faux prophètes, le frappa au visage. Michée reprit dignement, s'adressant au roi: « Si tu reviens vraiment sain et sauf de la guerre, le Seigneur n'a pas parlé par moi. » De fait, le monarque périt à la bataille de Ramoth.

Michée, qui fut souffleté par Sédécias pour avoir dit courageusement la vérité au roi est l'image du Christ qui fut frappé par un valet parce qu'il avait répondu sans crainte au grand-prêtre Anne. Et Jésus mit dans sa réplique toute la majesté divine: « Si j'ai eu tort, prouve-le moi; mais si j'ai eu raison, pourquoi me frappes-tu? » (St-Jean, 18, 13).

Dans ce onzième tableau, nous voyons devant le trône le roi Achab, aux côtés duquel se tient son allié, le roi Josaphat de Juda. Au premier plan, le prophète Michée qui dit à Achab: « Le Seigneur a prononcé le mal contre toi. » Sédécias le menteur le frappe alors au visage.

CHRISTUS VOR ANNAS
CHRIST BEFORE ANNAS
LE CHRIST DEVANT ANNE

JOHANNES
UND PETRUS
Rolf Zigon
und
Hermann Haser

JOHN
AND PETER
Rolf Zigon
and
Hermann Haser

JEAN
ET PIERRE
Rolf Zigon
et
Hermann Haser

EIN JUSTIZMORD IM ALTEN BUND: NABOTH WIRD AUFGRUND DER AUSSAGEN FALSCHER ZEUGEN UNSCHULDIG ZUM TOD VERURTEILT UND GESTEINIGT

(1. Kön. 21, 1–19 – Textbuch S. 67)

Naboth, ein israelitischer Bürger, besaß einen Weinberg, der in Jesrahel gleich neben dem Palast des Königs Achab lag. Der König machte Naboth den Vorschlag, ihm den Weinberg gegen einen andern abzutreten; doch dieser weigerte sich, dem König den Erbbesitz seiner Väter zu überlassen, weil dies gegen das Gesetz des Moses gewesen wäre. Achab war sehr erzürnt. Die gottlose Königin Jezabel, die den Vorfall erfuhr, sandte nun im Namen des Königs Briefe an die Vornehmsten der Stadt, des Inhalts: »Rufet einen Fasttag aus und laßt Naboth den Vorsitz in der Versammlung des Volkes führen. Bestellt zu dieser Versammlung zwei nichtswürdige Männer, die bezeugen, Naboth habe Gott und den König gelästert. Dann laßt ihn hinausführen und steinigen!« So geschah es. Naboth wurde aufgrund der lügenhaften Aussagen der beiden Zeugen wegen Gotteslästerung und Majestätsverbrechen von der Volksversammlung zum Tode verurteilt und sogleich gesteinigt.
Der Justizmord an Naboth im Alten Bund hat sich im Neuen Bunde an Jesus wiederholt, der gleichfalls aufgrund falscher Zeugenaussagen zum Tode verurteilt wurde.
Im zwölften Lebenden Bild sehen wir Naboths Steinigung dargestellt. Im Vordergrund kniet der unschuldige Naboth, die Augen zum Himmel erhoben; er erwartet den Steinhagel, der gleich auf ihn niedergehen wird. Schon haben mehrere Männer Steine erhoben, um sie auf Naboth zu werfen, andere bücken sich, um solche aufzuheben. Im Hintergrund ist die Königin Jezabel zu sehen, welche triumphierend der Steinigung zusieht.

THE EXECUTION OF AN INNOCENT PERSON IN THE OLD TESTAMENT: NABOTH IS SENTENCED TO DEATH AND STONED BECAUSE OF THE TESTIMONY OF FALSE WITNESSES

(I Kings 21, 1–19 – Text-book p. 67)

Naboth, an Israelite citizen, owned a vineyard situated in Jezreel hard by king Ahab's palace. The king proposed to Naboth to give him this vineyard in exchange for another. Naboth, though, refused to let the king have the inheritance of his fathers since this would have been against the law of Moses. Ahab was much displeased. Upon learning of this incident the wicked queen Jezebel wrote letters in Ahab's name and sent them unto the elders and to the nobles of the city: "Proclaim a fast, and set Naboth on high among the people. And set two men, sons of Belial, before him to bear witness against him saying 'Thou didst blaspheme God and the king!' Then carry him out and stone him." The nobles did as they were bidden. Naboth was sentenced to death by the people for blasphemy due to the false testimony of the two lying witnesses and was stoned at once.
The legal murder of Naboth in the Old Testament has repeated itself with Jesus in the New Testament. Jesus was also sentenced to death due to the testimony of false witnesses.
In the twelvth tableau vivant the stoning of Naboth is represented. In the foreground the innocent Naboth is kneeling, his eyes lifted up toward heaven. He is awaiting the imminent hailing of the stones. Already several men have raised their fist with a stone to fling on to Naboth. Others are just bending down to lift stones up. In the background we are aware of queen Jezebel looking triumphantly at the stoning.

UN ASSASSINAT LÉGAL DANS L'ANCIEN TESTAMENT NABOTH EST CONDAMNÉ À MORT ET LAPIDÉ SUR DE FAUX TÉMOIGNAGES

(1 Rois 21, 1–19 – Livret p. 67)

L'Israélite Naboth possédait à Jezrahel une vigne située à côté du palais du roi Achab. Le roi lui proposa d'échanger sa vigne contre une autre; mais Naboth se refusa à lui laisser l'héritage de ses pères, pour ne pas contrevenir à la loi de Moïse. Achab fut rempli de courroux. Or la reine, l'impie Jézabel, qui avait appris l'incident, écrivit aux notables de la ville sous le sceau du roi, leur disant: « Publiez un jour de jeûne, et placez Naboth à la tête de l'assemblée du peuple. Puis faites venir deux hommes de rien qui témoigneront que Naboth a blasphémé contre Dieu et contre le roi. Alors, vous l'emmènerez au dehors et vous le ferez lapider. » Ainsi fut fait. Sur les faux témoignages des deux hommes, Naboth fut condamné à mort par l'assemblée pour blasphème et lèse-majesté; on le lapida aussitôt.
Ce meurtre légal a son pendant dans le Nouveau Testament; Jésus fut également condamné à mort, à la suite de faux témoignages.
Le douzième tableau nous présente la lapidation de Naboth. Au premier plan, l'innocent est agenouillé, les yeux au ciel, dans l'attente de la grêle de pierres qui va s'abattre sur lui. Les spectateurs sont déjà en train de ramasser des projectiles. A l'arrière-plan, la méchante reine Jézabel et les deux faux témoins qui semblent triompher.

JOB MUSS VON SEINEM WEIBE UND SEINEN FREUNDEN VIELE BESCHIMPFUNGEN ERDULDEN

(Job 2, 9 f. — Textbuch S. 68)

Job, der Mann der Schmerzen, von Gott mit dem Verlust seiner Kinder, seiner ganzen Habe und schließlich noch mit dem Aussatz geschlagen, hält trotzdem an seinem Vertrauen auf Gott fest. Von seinem Weibe wird er deshalb verhöhnt: »Hältst du noch immer an deiner Frömmigkeit fest? Sag dich doch los von Gott und stirb!« spricht sie. Doch Job erwidert: »Wie eine *Närrin* schwatzt, so redest du daher! Haben wir das Glück von Gott angenommen, warum nicht auch das Unglück?«
Auch seine Freunde spotten seiner und schreiben seine Leiden seinen angeblichen Sünden zu.
Dieser Dulder ist ein Vorbild des leidenden Heilandes, der von seinen Feinden verhöhnt und angespien wurde, weil er sich wahrheitsgemäß als Sohn Gottes bekannte. Schweigend ertrug er alle Beschimpfungen.
Das dreizehnte Lebende Bild zeigt den frommen Dulder Job auf seinem Schmerzenslager in unerschütterlichem Vertrauen auf Gott. Links von ihm sehen wir seine Frau und seine Freunde, die ihn ausspotten, statt ihn zu trösten.

JOB IS BEING RAILED BY HIS WIFE AND HIS FRIENDS

(Job 2, 9 et seq. — Text-book p. 68)

Job, the man of sorrow, is smote by God with the loss of his children, of all that he possesses and then covered with sore boils from the sole of his foot unto his crown. Yet he still puts his trust in God. His wife rails him for this and says: "Dost thou still retain thine integrity? Curse God, and die!" But he said unto her: "Thou speakest as one of the *foolish* women speaketh! What? Shall we receive good at the hand of God, and shall we not receive evil?"
His friends, too, railed him and said that his sins were the cause of his misfortune.
Job, this suffering man, is like Christ in his Passion, insulted and spitted upon because he truthfully admitted to be the Son of the Lord God. Silently, he suffered all injury.
The thirteenth tableau vivant represents in a most moving manner the pious sufferer Job on his bed of sorrow, his face turned heavenward and his faith unshaken. His wife and his friends are standing to the left and railing him instead of offering him comfort.

JOB SUPPORTE LES INVECTIVES DE SA FEMME ET DE SES AMIS

(Job 2, 9 sq. — Livret, p. 68)

Job, l'homme de douleur, que Dieu a frappé en lui enlevant ses enfants, tous ses biens et en l'affligeant de la lèpre, n'en conserve pas moins sa confiance en Dieu. Et sa femme le raille cruellement: «Ainsi donc, tu restes confit dans ta piété? Détache-toi donc de Dieu et meurs!» Mais Job répond: «Tu parles comme parle une *insensée!* Si nous acceptons le bien de Dieu, pourquoi n'en acceptons-nous pas le mal?»
Ses amis le persiflent également et attribuent ses souffrances aux fautes qu'il aurait commises.
La patience de Job préfigure celle du Sauveur, qui est tourné en dérision et couvert de crachats par ses ennemis, parce qu'il a déclaré, conformément à la vérité, qu'il était Fils de Dieu. Il supporte en silence tous ces outrages.
Le treizième tableau montre de façon émouvante le pauvre Job sur son grabat, le visage plein d'une confiance inaltérable en Dieu.
A sa gauche, sa femme et ses amis qui le raillent au lieu de le consoler.

PETRI VERLEUGNUNG
THE DENIAL OF PETER
LE RENIEMENT DE PIERRE

DER BRUDERMÖRDER KAIN, VON GEWISSENSBISSEN GEQUÄLT, IRRT UNSTET UND FLÜCHTIG AUF DER ERDE UMHER

(1. Mos. 4, 8–16 – Textbuch S. 80)

Abel und Kain, Söhne unserer Stammeltern, brachten einst Gott Opfer dar, Kain von den Früchten des Feldes, Abel von den Erstlingen seiner Herde. Der Herr schaute gnädig auf Abel und sein Opfer, auf Kain und sein Opfer achtete er nicht. Kain wurde deshalb sehr zornig. Eines Tages, als er mit seinem Bruder auf dem Felde war, fiel er über ihn her und erschlug ihn. Da sprach Gott zu ihm: »Was hast du getan? Das Blut deines Bruders schreit von der Erde zu mir empor. So sei denn verbannt vom Heimatboden. Wenn du ihn bestellst, so soll er dir keinen Ertrag geben. Unstet und flüchtig sollst du auf Erden sein!« Da rief Kain: »Allzu groß ist meine Schuld, als daß ich sie tragen könnte!« Er ging weg vom Angesicht des Herrn und ließ sich östlich von Eden, im Lande Nod, nieder.

Ähnlich wie Kain rief Judas, nachdem er Jesus um 30 Silberlinge an seine Feinde überliefert hatte: »Ich habe gesündigt; ich habe unschuldiges Blut verraten!« (Matth. 27, 4). Ganz verzweifelt ging er hin und erhängte sich.

Abel, der aus Neid ermordet wurde, ist ein Vorbild Jesu, den seine Feinde gleichfalls aus Mißgunst zum Tode verurteilten (Matth. 27, 18).

Im Lebenden Bild wird die Verzweiflung Kains dargestellt. Trostlos eilt er hinweg und verläßt seine Heimat. Neben dem Brandopferaltar, von welchem aus der Rauch des geschlachteten Lammes zum Himmel emporsteigt, liegt die Leiche des schuldlos Erschlagenen. Rechts im Vordergrund ist der Opferaltar Kains mit den Feldfrüchten zu sehen. Kohlschwarzer Rauch steigt vom Altar auf und zieht sich auf der Erde hin.

CAIN, THE SLAYER OF HIS BROTHER, IS TORMENTED BY HIS CONSCIENCE AND A FUGITIVE AND VAGABOND IN THE EARTH

(I Moses 4, 8–16–Text-book p. 80)

Abel und Cain, sons of our first parents once were bringing offerings to God, Cain brought the offerings of the fruit of the ground and Abel brought of the firstlings of his flock. The Lord had respect unto Abel and to his offering. But to Cain and his offering he had not respect. And Cain was very wroth and his countenance fell. One day, when they were in the field Cain rose up against Abel his brother and slew him. And the Lord said unto him: "What hast thou done? The voice of thy brother's blood crieth unto me from the ground. Thou art cursed from the earth. When thou tillest the ground, it shall not henceforth yield unto thee her strength. A fugitive and a vagabond shalt thou be in the earth!" And Cain said unto the Lord: "My punishment is greater than I can bear!" He went out from the presence of the Lord and dwelt in the Land of Nod on the east of Eden.

Like Cain, Judas said, after he had given Jesus into the hands of his ennemies for thirty pieces of silver: "I have sinned in that I have betrayed the innocent blood!" (Matth. 27, 4). He repented and went and hanged himself.

Abel who was murdered out of jealousy suffered a fate similar to that of Jesus whose ennemies sentenced him to death out of envy (Matth. 27, 18).

In the tableau vivant Cain's desperation is represented in a most deeply affecting manner. Being without any comfort he goes off and leaves his native country. Beside the sacrificial altar from which rises the smoke of the killed lamb lies the slain body of the innocent man. In the foreground to the right we observe Cain's sacrificial altar with the fruit of the fields. Black smoke curls up from his altar.

APRÈS L'ASSASSINAT DE SON FRÈRE, CAÏN, TOURMENTÉ DE REMORDS, ERRE À LA SURFACE DE LA TERRE

(1 Gen. 4, 8–16 – Livret, p. 80)

Abel et Caïn, les fils de nos premiers parents, avaient offert des sacrifices au Seigneur: Caïn avait apporté les produits du sol, Abel les prémices de son troupeau. Le Seigneur considéra avec faveur les dons d'Abel, mais ne prêta aucune attention à l'offrande de son frère. Caïn se montra fort irrité: lorsqu'il se retrouva aux champs avec son frère, il se précipita sur lui et l'assomma. Alors la voix de Dieu se fit entendre: «Qu'as-tu fait, Caïn? La voix du sang de ton frère crie vers moi. Tu seras chassé du sol où tu es né; si tu le cultives, il ne donnera plus ses fruits; tu seras errant et fugitif sur la terre!»

Et Caïn s'exclama: «Mon crime est trop grand pour être pardonné.» Il s'éloigna de la face du Seigneur et alla se fixer dans la terre de Nod, à l'est d'Eden.

Judas éprouva le même désespoir après avoir livré le Seigneur à ses ennemis pour trente deniers: «J'ai péché; j'ai trahi le sang innocent» (Math. 27,4). Il prit la fuite et alla se pendre.

Abel, assassiné par envie, est une figure de Jésus que ses ennemis, poussés par la jalousie, condamnèrent à mort (Math. 27, 18).

Nous assistons ici aux remords de Caïn, qui quitte son foyer. Sur l'autel des sacrifices, la fumée de l'agneau immolé monte vers le ciel; tout près, le cadavre de l'innocent Abel. A droite, au premier plan, les offrandes de Caïn; une vapeur noire en descend vers la terre au lieu de s'élever vers Dieu.

ꞏHRISTUS VOR DEM HOHEN RAT
HRIST BEFORE THE HIGH COUNCIL
E CHRIST DEVANT LE GRAND CONSEIL

PILATUS Martin Magold

PILATE Martin Magold

PONCE-PILATE
Martin Magold

CHRISTUS VOR PILATUS
CHRIST BEFORE PILATE
LE CHRIST DEVANT PILATE

HERODES Benedikt Stückl sen.
HEROD Benedikt Stückl sen.
HÉRODE Benedikt Stückl sen.

CHRISTUS VOR HERODES
CHRIST BEFORE HEROD
LE CHRIST DEVANT HÉRODE

DIE GEISSELUNG
THE SCOURGING
LA FLAGELLATION

ECCE HOMO

JOSEPH WIRD VOM PHARAO DEN ÄGYPTERN ALS LANDESVATER VORGESTELLT

(1. Mos. 41, 37–43 — Textbuch S. 97)

Pharao, der Ägypterkönig, hatte einst einen merkwürdigen Traum. Zuerst weideten sieben fette, dann sieben magere Kühe am Nil. Die sieben mageren Kühe verschlangen die sieben fetten. Niemand konnte dem König den Traum deuten. Da ließ er Joseph rufen, der unschuldig im Gefängnis saß; dieser legte dem König den Traum richtig aus und schlug ihm geeignete Maßnahmen zur Überwindung der bevorstehenden Hungersnot vor. Daraufhin erklärte ihn der König zu seinem Stellvertreter, zum Landesvater und Retter Ägyptens. Joseph wurde vom ganzen Ägyptervolk umjubelt und geehrt. In ähnlicher Weise hätte auch das Volk Israel seinen Retter und Erlöser begrüßen sollen, wie es dies auch tatsächlich bei seinem Einzug in Jerusalem getan hat. Damals hatte das Volk gerufen: »Hosanna dem Sohne Davids!« Nun aber, nach wenigen Tagen, steht der Messias gefesselt und mit Dornen gekrönt vor seinem Volk! Statt ihm zu huldigen, rufen sie in unfaßbarer Verblendung: »Hinweg mit diesem! Ans Kreuz mit ihm!«
Das fünfzehnte Lebende Bild gehört zu den farbenprächtigsten und eindrucksvollsten Bildern des weltberühmten Passionsspiels. Es zeigt, was das Volk am Karfreitag hätte tun *sollen*, aber — leider — nicht getan hat.
In festlichem Zuge wird im Lebenden Bild Joseph auf einem königlichen Wagen als Retter Ägyptens im Triumph durch das Land geleitet. Dem Zug schreiten Jünglinge voraus, die Posaunen blasen und das Nahen des Retters Ägyptens ankünden. Das Volk jubelt ihm zu; viele fallen nieder, um ihm zu huldigen.

JOSEPH IS PRESENTED TO THE EGYPTIANS BY THE PHARAOH AS THE FATHER TO HIS PEOPLE

(I Mos. 41, 37–43 — Text-book p. 97)

Pharaoh, the king of the Egyptians, once dreamed a strange dream. He saw first seven fat cows and then seven lean cows feeding by the river Nile. The seven lean cows ate up the seven fat cows. Nobody could interpret his dream. Whereupon he asked for Joseph who, although innocent, had been put into the dungeon. He interpreted the king's dream correctly and suggested suitable measures to overcome the expected famine. Therefore, the king set him over his house and over all the land of Egypt so that he could save it. Joseph was honoured and praised by all the people of Egypt.
In the same manner the people of Israel should have greeted their deliverer just as they had done when Jesus entered into Jerusalem. The people had then cried: "Hosanna unto the son of David!" However, a few days later, the Saviour stood in fetters and with the crown of thorns pressed upon his head. Instead of honouring him they cried in their utmost blindness: "Away with this person!" and "Crucify him!"
The fifteenth tableau vivant is one of the most colourful and impressive in the whole sequence of the famous Passion Play. It shows what the people should have done on Good Friday—but, unfortunately, failed to do.
In a triumphal procession Joseph is on a royal chariot being led all over the land of Egypt. The procession is preceded by young men blowing trumpets and announcing the approach of the saver of Egypt. The people hail him and many drop to their knees to do homage to him.

JOSEPH EST FAIT GOUVERNEUR D'EGYPTE PAR PHARAON

(Gen. 41, 37–43 — Livret, p. 97)

Pharaon, roi d'Egypte, avait eu un songe étrange. Il avait vu sept vaches grasses, puis sept vaches maigres paître au long du Nil. Et les secondes dévorèrent les premières. Personne ne pouvait interpréter ce rêve; le Pharaon fit alors appeler Joseph qui, bien qu'innocent, était retenu en prison; celui-ci lui expliqua le sens de sa vision et lui suggéra les mesures à prendre pour pallier la famine qui menaçait. Le roi fut si ravi qu'il l'établit au-dessus de son peuple et l'appela sauveur de l'Egypte. Le peuple d'Egypte prodigua à Joseph des marques d'enthousiasme.
C'est ainsi que le peuple d'Israël aurait dû accueillir son sauveur et libérateur, comme il le fit d'ailleurs lors de son entrée à Jérusalem. Il avait alors crié: «Hosanna au Fils de David!» Mais, peu de jours plus tard, le Messie était couvert de chaînes et couronné d'épines. Au lieu des acclamations, une fureur aveugle se manifestait: «Emmenez-le! Crucifiez-le!»
Ce quinzième tableau est un des plus impressionnants et des plus riches en couleurs de toute la Passion. On voit sur la scène ce que le peuple aurait dû faire le Vendredi-Saint, et qu'il n'a malheureusement pas fait.
Joseph est mené en triomphe à travers l'Egypte, sur le char royal; le cortège est précédé par des jeunes gens qui annoncent à son de trompe l'arrivée du Sauveur de l'Egypte. Le peuple éclate en acclamations; nombreux sont ceux qui se prosternent.

DAS LOS WIRD ÜBER ZWEI BÖCKE GEWORFEN, VON DENEN DER EINE ENTLASSEN, DER ANDERE ABER FÜR DIE SÜNDEN DES VOLKES GESCHLACHTET WIRD

(3. Mos. 16, 1—34 — Textbuch S. 98)

Am Versöhnungstag empfing der Hohepriester vom Volk zwei Ziegenböcke. Über beide wurde das Los geworfen, um zu entscheiden, welcher geschlachtet werden sollte. Der Ziegenbock, auf den das Los »Für den Herrn« traf, wurde vom Hohenpriester als Sündopfer für die Sünden des Volkes dargebracht.
Dem andern Bock, auf den das Los »Für Asasel« fiel (wahrscheinlich war dies der Name eines Dämons der Wüste), legte der Hohepriester beide Hände auf den Kopf und bekannte dabei die Sünden des Volkes. So gleichsam mit den Sünden aller beladen, wurde der »Sündenbock« von einem Israeliten in die Wüste gejagt.
Mit diesem in die Wüste entlassenen Ziegenbock wird im sechzehnten Lebenden Bild der Mörder Barabbas verglichen, der von Pilatus auf Drängen der Juden freigelassen wird, während der Ziegenbock, der als Sündopfer geschlachtet wurde, auf Jesus hinweist, der am Kreuzesholz für die Sünden aller Menschen geopfert wurde. Er ist wirklich, wie Johannes der Täufer sagte, das »Lamm Gottes«, das die Sünden der Welt hinwegnimmt.

THE LOT IS CAST OVER TWO RAMS OF WHICH ONE GOES FREE AND THE OTHER IS SACRIFICED TO ATONE FOR THE SINS OF THE PEOPLE

(III Mos. 16, 1—34—Text-book p. 98)

On the solemn day of atonement the high priest received two rams from the people. The lot was cast over them to decide which of the two was going to be killed for the sacrifice. The ram upon which fell the lot "For the Lord" was offered by the high priest to atone for the sins of the people.
The high priest put both his hands on the head of the other ram upon which the lot had fallen "For Asasel" (probably this was the name of a desert demon) and confessed the sins of the people. Thus, loaden with the sins of all, the "scapegoat" was sent into the wildernes by an Israelite.
In this sixteenth tableau Barrabas, the murderer, is compared to the ram sent into the wilderness. Barrabas was relinquished by Pilate upon the urgent request of the Jews. The ram that was sacrifcied as an offering of atonement points to Jesus sacrificed on the Cross for the sins of all men. He truly is the Lamb —as said John the Baptist—taking away the sins of the world.

ON TIRE AU SORT ENTRE DEUX BOUCS; L'UN EST RELÂCHÉ, L'AUTRE SERA SACRIFIÉ POUR EXPIER LES PÉCHÉS DU PEUPLE

(Lev. 16, 1—34 — Livret, p. 98)

Lors de la fête de la réconciliation, le grand-prêtre recevait deux boucs que lui amenait le peuple. On tirait au sort entre les deux pour savoir lequel devrait être sacrifié. Celui sur lequel tombait le sort «pour le Seigneur» était immolé par le grand-prêtre en expiation pour les péchés du peuple.
Quant à l'autre bouc, sur lequel était tombé le sort «pour Asasel» (vraisemblablement le nom d'un démon du désert), le grand-prêtre lui plaçait ses deux mains sur la tête et confessait en même temps les péchés du peuple. Chargé qu'il était alors de toutes les fautes d'Israël, le «bouc émissaire» était chassé dans le désert.
Le seizième tableau compare ce bouc à Barabbas, l'assassin que Pilate a libéré sur les instances des habitants de Jérusalem. La victime expiatoire est le Christ, immolé sur la croix pour les péchés de tous les hommes. Il est vraiment, comme Jean-Baptiste l'avait dit, l'«agneau de Dieu» qui efface les péchés du monde.

»ANS KREUZ MIT IHM!«

»CRUCIFY HIM!«

»CRUCIFIEZ-LE!«

VERURTEILUNG
DURCH
PILATUS

PILATE
SENTENCES
CHRIST
TO DEATH

LA
CONDAMNATION
PAR PILATE

ISAAK BESTEIGT MIT DEM HOLZ BELADEN DEN BERG MORIA

(Gen. 22, 1—13 — Textbuch S. 107)

Gott hatte Abraham, den Stammvater (Patriarchen) des israelitischen Volkes, auf eine schwere Gehorsamsprobe gestellt, indem er von ihm verlangte, daß er ihm seinen einzigen geliebten Sohn auf dem Berg Moria als Opfer darbringe. Abraham gehorchte sofort, schirrte seinen Esel, nahm seinen Sohn und zwei Knechte mit sowie Holz zum Brandopfer, Feuer und ein Schlachtmesser. So begab er sich zu dem Berg, den ihm Gott gezeigt hatte. Als er mit Isaak und den beiden Knechten am Fuße des Berges angekommen war, nahm er das Holz und lud es seinem Sohne auf. Dieser trug es willig bis zum Gipfel.
Als sie oben auf dem Berg angekommen waren, erbaute Abraham einen Altar, band seinen Sohn und legte ihn darauf, um ihn Gott darzubringen. Gott aber wollte nicht das blutige Opfer, sondern nur das geistige des Gehorsams. Auf Weisung eines Engels opferte Abraham einen Widder anstelle Isaaks. Dieser durfte mit seinem Vater wohlbehalten wieder heimziehen.
Der Gang Abrahams auf den Berg Moria findet im Lebenden Bild eine ergreifende Darstellung. Sein Sohn Isaak geht ihm voraus, beladen mit dem Holz. Er wendet sich nach dem Vater um und fragt ihn nach dem Opfertier. Im Schatten der Bäume warten die Knechte Abrahams auf die Rückkehr ihres Herrn.
Isaak ist das edelste Vorbild des Erlösers Jesus Christus, der, seinem himmlischen Vater gehorchend, am Kreuze, das er selbst nach Kalvaria hinauftrug, sein Leben für uns hingegeben hat. Das geistige Opfer Abrahams wurde von jeher als Vorbild des Kreuzesopfers und des hl. Meßopfers betrachtet.

ISAAC CLIMBS UP MOUNT MORIAH CARRYING THE WOOD

(Gen. 22, 1—13—Text-book p. 107)

God had put the obedience of Abraham, the patriarch of the people of Israel, to a cruel test by demanding of him to sacrifice his only and beloved son on the mountain of Moriah. Abraham obeyed at once, saddled his ass, took his son and two of his men with him, the wood for the burnt offering, fire and a big knife. When, with Isaac and his men, he had reached the foot of the mountain he took the wood and laid it upon Isaac to carry it up the mountain. Isaac went willingly with his father to the top of the mountain.
When they had arrived at the mountain top Abraham built an altar, bound his son and laid him upon the altar to offer him. God, though, did not want the bloody sacrifice, he only demanded the spiritual offering of obedience. An angel called unto him and asked him to offer a ram instead of Isaac who was allowed to return home safe and sound with his father.
The tableau vivant represents Abraham's march to the mountain in a most moving scene. His son Isaac, walking before his father and laden with wood, turns round to him to inquire about the lamb for the offering. In the shade of some trees Abraham's men are awaiting the return of their master.
Isaac is the noblest prefiguration of Christ the Saviour who obeyed God his Father and carried himself the cross to Calvary on which he gave his life for us.
Abraham's spiritual sacrifice has at all times been regarded as the prefiguration of Christ's sacrifice of himself, and of the host in the divine service.

ISAAC PORTE UNE CHARGE DE BOIS SUR LE MONT MORIA

(Gen. 22, 1—13 — Livret, p. 107)

Dieu avait soumis à rude épreuve l'esprit d'obéissance du patriarche Abraham, en réclamant qu'il lui sacrifie, sur le Mont Moria, un fils unique et tendrement aimé. Abraham obéit aussitôt, sella son âne et emmena avec lui Isaac, son fils et deux valets; il prit aussi le bois nécessaire à l'holocauste, du feu et un couteau. Et ils se mirent en route vers la montagne qu'avait désignée le Seigneur. Lorsqu'ils furent arrivés au pied de celle-ci, Abraham prit le bois et en chargea son fils, qui le porta de bon cœur jusqu'au sommet.
Quand ils se trouvèrent en haut de la montagne, Abraham éleva un autel, lia son fils et le plaça sur l'autel pour l'immoler à Dieu. Mais le Seigneur ne voulait pas de sacrifice sanglant; il réclamait uniquement l'offrande de l'obéissance. Sur l'injonction d'un ange, Abraham sacrifia un bélier à la place d'Isaac, qui rentra sain et sauf avec son père.
Cette scène est représentée dans le dix-septième tableau. Isaac, chargé de bois, précède son père; il se retourne vers lui pour lui poser la question de la victime.
A l'ombre des arbres, les valets d'Abraham attendent le retour de leur maître.
Isaac est la plus noble préfiguration du Rédempteur, qui, pour obéir à son père du Ciel, a donné pour nous sa vie sur le bois qu'il avait lui-même porté jusqu'au Calvaire. Le sacrifice d'Abraham a toujours été considéré comme une image de la Crucifixion et, par conséquent, du Sacrifice de la Messe.

KREUZWEG
CHRIST ON HIS WAY TO GOLGOTHA
LE CHEMIN DE LA CROIX

MARIA UND MAGDALENA
MARY AND MAGDALEN
MARIE ET MADELEINE

CHRISTUS
UND
VERONIKA
Ulrike Zwink

CHRIST
AND
VERONICA
Ulrike Zwink

LE CHRIST
ET
VÉRONIQUE
Ulrike Zwink

KREUZIGUNG
CRUCIFIXION
LA CRUCIFIXION

KREUZABNAHME

DESCENT
FROM THE CROSS

LA DESCENTE
DE CROIX

MAGDALENA Christl Rutz
MAGDALEN Christl Rutz
MADELEINE Christl Rutz

CHRISTUS
ERSCHEINT MAGDALENA

CHRIST
APPEARS TO MAGDALEN

LE CHRIST
APPARAIT À MADELEINE

TRIUMPH UND VERHERRLICHUNG CHRISTI

Textbuch S. 127

Das Leben und Leiden des Erlösers durfte nicht mit seinem Begräbnis enden; vielmehr beginnt unmittelbar nach seinem Tode auch schon seine Verherrlichung. Nicht Tod und Untergang, sondern Leben, Sieg über Hölle, Sünde und Tod steht am Abschluß dieses einzigartigen Lebens, besiegelt und gekrönt durch die glorreiche Auferstehung und – nach weiteren 40 Tagen – durch die wunderbare Himmelfahrt und Heimkehr zum Vater.
Deshalb schließt das Passionsspiel mit Recht nicht mit der Grablegung, sondern mit der Auferstehung und Verherrlichung des Erlösers.
Das Schlußbild wird zu einer eindrucksvollen Darstellung dieser Verherrlichung des Herrn. Der mächtige symphonische Schlußchor mit der herrlichen Musik von Rochus Dedler geben dem vorgeführten Erlösungswerk Christi einen würdigen Abschluß und Ausklang.
Adam und Eva, die Stammeltern des Menschengeschlechts, deren Sünde nun durch den Kreuzestod Christi gesühnt ist, Moses, der erste und größte Prophet, als Vertreter des Alten Bundes, Johannes der Täufer, der Vorläufer des Erlösers, Maria, seine Mutter, vor allem auch die Apostel des Herrn: sie alle dürfen jetzt die Herrlichkeit des Siegers über Tod und Hölle schauen und dem Jubel der himmlischen Heerscharen lauschen:
»Halleluja! Preis, Ruhm, Anbetung, Macht und Herrlichkeit sei Dir, Erlöser, von Ewigkeit zu Ewigkeit!«
(Schlußchor des Passionsspieles)

THE TRIUMPH AND GLORIFICATION OF CHRIST

Text-book p. 127

The life and Passion of the Saviour could not end with his burial; his glorification began immediately upon his death. Not death and ruin but *Life*, and the victory over hell, sin and death are the result of this unique life, sealed and crowned by the glorious resurrection and—after forty more days—by the miraculous ascent to heaven and the return to God the Father.
Therefore, the Passion Play justly does not end with the burial but with the resurrection and glorification of the Saviour.
The closing scene is a most impressive representation of the glorification of the Lord. The powerful symphonic apotheosis in the magnificent music by Rochus Dedler lends a worthy ending to the play of Christ's Passion for the redemption of man.
Adam and Eve, our first parents, whose sin is now atoned for by Christ's death on the Cross; Moses, the first and greatest prophet, as the representative of the Old Covenant; John, the Baptist, the herald of Christ; Mary, his mother, and, above all, the apostles of the Lord: they all may now behold the glory of the victor over death and hell and listen to the rejoicing of the heavenly hosts:
"Halleluja! Praise, glory, adoration, might and magnificence be Thine, Redeemer, for all eternity!"
(final chorus of the Passion Play)

TRIOMPHE ET APOTHÉOSE DU CHRIST

Livret p. 127

La vie et la passion du Rédempteur ne peuvent s'achever sur sa mise au tombeau; sa glorification débute bien plutôt dès après sa mort. A l'issue de cette existence extraordinaire, ce n'est point le trépas qu'on trouve; au contraire, la vie triomphe du péché, de l'enfer et de la mort. Elle s'accomplit dans la glorieuse Résurrection et, quarante jours plus tard, dans la miraculeuse Ascension et le retour du Fils vers le Père.
C'est pourquoi le Jeu de la Passion se termine sur la Résurrection et sur l'apothéose du Christ.
C'est au dernier tableau qu'il revint d'exprimer cette glorification; les puissants accords du chœur final, qui est l'œuvre du compositeur Rochus Dedler, soulignent la majesté de cette évocation.
Adam et Eve, nos premiers parents, dont la mort du Christ a expié la faute, Moïse, le premier et le plus grand des prophètes, comme représentant de l'Ancienne Loi, Jean-Baptiste, le précurseur du Rédempteur, Marie et les apôtres; ils sont tous là, admirant la splendeur de celui qui a vaincu la mort et l'enfer et s'associant à la jubilation des cohortes célestes.
« Alleluia! Que la gloire et l'adoration, la puissance et l'honneur soient à toi, Rédempteur, dans les siècles des siècles! »
(Chœur final de la Passion).